Contemporánea
Poesía

FEDERICO GARCÍA LORCA

ANTOLOGÍA POÉTICA

Edición y guía de lectura de José Luis Ferris

AUSTRAL

🜨 Planeta

© por la edición: José Luis Ferris, 2019
© Editorial Planeta, S. A., 2019, 2022
   Avinguda Diagonal, 662, 6.ª planta. 08034 Barcelona (España)
   www.planetadelibros.com

Diseño de la colección: Compañía
Diseño de la cubierta: Austral / Área Editorial Grupo Planeta
Ilustración de la cubierta: Fundación Federico García Lorca
Fotografías del interior: *Página 350:* Federico García Lorca en 1919. Fotografía de
   Rogelio Robles Romero-Saavedra. Col. Fundación Federico García Lorca, Madrid.
   Página 351: Fotografía de Federico García Lorca realizada en Buenos Aires en 1933,
   con dedicatoria autógrafa a Fernando Hugo Casullo. Col. Fundación Federico García
   Lorca, Madrid
Primera edición en Austral: octubre de 2019
Segunda impresión: octubre de 2019
Tercera impresión: junio de 2021
Cuarta impresión: julio de 2022

Depósito legal: B. 18.735-2019
ISBN: 978-84-08-21660-5
Composición: Moelmo, SCP
Impresión y encuadernación: CPI Black Print
Printed in Spain - Impreso en España

Biografía

Federico García Lorca (Fuente Vaqueros, 1898 - Víznar, 1936), hijo de un rico hacendado y de una maestra de escuela, se educó en un entorno rural y completó los primeros estudios en Granada. Se trasladó en plena juventud a Madrid, donde se alojó en la Residencia de Estudiantes y conoció a sus compañeros de generación y a muchas figuras del panorama artístico, como Salvador Dalí y Luis Buñuel. En este ambiente descubre las Vanguardias, cultiva una poesía de honda raíz popular y triunfa definitivamente con su emblemático *Romancero gitano*. Tras vivir, a lo largo de un año, una enriquecedora experiencia en Nueva York y en Cuba (*Poeta en Nueva York* fue escrito entre 1929 y 1930), vuelve a España. Durante la República, dirige la compañía La Barraca, grupo teatral universitario con el que llevó el teatro clásico por los pueblos y rincones olvidados de España. En 1933 visita Buenos Aires y Montevideo, donde sus dramas obtienen gran éxito. De regreso, Lorca, que es ya poeta de éxito, manifiesta abiertamente su compromiso con los más desfavorecidos; este hecho y su participación en actos a favor del Frente Popular lo ponen en el punto de mira de los nacionales, que lo asesinan nada más estallar la Guerra Civil, dos meses después de terminar *La casa de Bernarda Alba*. Otras obras destacadas del autor son *Poema del cante jondo*, *La zapatera prodigiosa*, *Mariana Pineda*, *Doña Rosita la soltera o El lenguaje de las flores*, *Bodas de sangre* y *El público*, todas ellas publicadas en Austral.

ÍNDICE

INTRODUCCIÓN

Hay autores que con su vida y su escritura levantan un mundo propio, único, que apenas cuesta identificar en medio de un mar de palabras, de imágenes y de emociones. Son creadores que, más allá de la sobrevalorada originalidad, tienen el misterioso don de involucrar al lector en ese universo particular; poseen la capacidad de lograr que nosotros, también desde nuestro silencio, nos reconozcamos en sus versos y compartamos, con una escalofriante complicidad, sus mismas preguntas, sus dudas, sus miedos, sus pasiones, sus sueños, su dolor o su pura alegría.

El caso de Federico García Lorca cumple todos los preceptos para que su poesía alcance las dimensiones que, sin duda, ha logrado, no sólo en nuestro tiempo, sino incluso en vida del autor, en unos años en los que sus versos corrían de boca en boca y su teatro ocupaba los escenarios españoles y de América Latina. Estamos hablando del escritor en lengua castellana más conocido y popular después de Cervantes y, quizá, el poeta español más apreciado, leído, citado y traducido en el mundo. Hay detrás de él y de su obra una fama que expande su figura por los cinco continentes. Es, por decirlo así, un mito contemporáneo, un personaje que encarna en sí mismo el vitalismo y la tragedia del artista y del hombre, y que condensa en su obra extraordinaria las grandes y universales contradicciones humanas.

En esta antología se ha tratado de mostrar al lector todos esos momentos y perfiles que, unidos, conforman al poeta que fue García Lorca dentro y fuera de su país: bien como emblema de lo español para la mirada extranjera —no olvidemos que la universalidad de Lorca proviene también de una lectura folclórica, castiza, romántica y andalucista (toro, gitano, navaja, luna, duende…) de su obra—, bien como criatura en permanente tensión entre el deseo y la realidad, la inocencia y la conciencia trágica de la vida. Y es que probar la poesía de Federico García Lorca, siquiera con el roce leve de los labios, siempre es una aventura; lo es para aquellos que nunca lo habían hecho hasta el momento y que se adentran por primera vez en el sabor intemporal de sus versos; lo es para quienes han leído ampliamente su obra y se vuelven a estremecer, a inquietar y a sorprender ante el caudal imaginativo, deslumbrante y simbólico de un discurso que no conoce límites, que multiplica sus efectos y que se alimenta, a partes iguales, de misterio y de asombro.

Superados los ochenta años de su asesinato en la Granada que le vio nacer, citar su nombre es congregar en apenas tres palabras —Federico García Lorca— un sueño de contrarios hermosamente conciliables: pasión y desengaño, naturaleza y hombre, emoción y mercantilismo, multitud y soledad, infancia y destino, placer y miedo, materialismo y espíritu, idilio y oscuridad, gracia y profecía, tradición y vanguardia, Andalucía y América, mitología y cristianismo, sangre y luz, pueblo y categoría, raíz y vuelo, vida y muerte, fugacidad y mito.

La labor que ha guiado esta antología, en la que se han elegido unos poemas y se han desestimado necesariamente otros, ha sido, en esencia, la de llegar con ella al gran público, recoger en sus páginas la variedad inherente a este autor, la que define su personalidad y sus contradicciones, sus dudas y su admirable coherencia de creador maravilloso, original y carismático, su condición de hombre luminoso y de criatura angustiada, oscura, atormentada por la muerte y por el vacío. Y para allanar el camino hacia lo verdaderamente importante de este libro —los poemas de García Lorca— invitamos al lector a emprender con nosotros un itinerario que recorre, en tres ciclos y catorce apartados, la vida del poeta, sus avatares, los periodos de su obra y los hilos invisibles que determinaron su deliciosa y seductora personalidad, la arrebatadora alegría que ocultaba un fondo dramático y su final, su violento asesinato convertido en símbolo de la fatalidad, en desenlace de tragedia clásica y en emblema del apocalipsis del siglo XX: un verdadero mártir de la sinrazón vivida en España durante la Guerra Civil y una víctima del cainismo y de la intolerancia.

I. CICLO DE LA IMAGINACIÓN: LA ANDALUCÍA MÍTICA (1898-1928)

1. *Fuente Vaqueros: luz primera*

En la infancia y la adolescencia de Lorca se hallan ciertas claves esenciales de su personalidad. Su nacimiento el 5 de junio de 1898 en Fuente Vaqueros, un pueblo de la Vega de Granada, y la experiencia de pasar los primeros años de su vida en contacto con la naturaleza, correteando por el campo junto a otros niños, dejaron en el poeta una huella positiva y un claro optimismo —«risa silvestre»— que encontraría temprano acomodo en sus escritos. Federico era el primogénito del matrimonio formado por Federico García Rodríguez, hacendado agrícola, dueño de tierras y cortijos, y Vicenta Lorca Romero, mujer de enorme sensibilidad que había ejercido de maestra de escuela y que poseía gran debilidad por la música, la poesía y las tradiciones orales (canciones populares, relatos…). Después de Federico vendrían al mundo más hermanos, aunque los que sobrevivieron fueron Francisco, Conchita e Isabel.

La primera infancia del poeta continuaría en la localidad cercana de Asquerosa (hoy Valderrubio), adonde se trasladó la familia hacia 1907. Fuente Vaqueros quedará, sin embargo, en la memoria del poeta como el pueblo tranquilo y oloroso de la Vega de Granada, «rodeado de chopos que se ríen, cantan y son palacios de pájaros y de sus sauces y zarzales que en el verano dan frutos dulces y peligrosos de coger. Al aproximarse hay gran olor de hinojos y apio silvestre que vive en las acequias besando al agua».[1]

A este amor por los campos, los ríos y los árboles, vino a juntarse pronto su afición a las canciones y romances populares que oiría en el hogar familiar por boca de las criadas y de los mozos que se reunían al acabar la faena. «Mi infancia es aprender letras y música con mi madre, ser un niño rico en el pueblo, un mandón… Toda mi infancia es pueblo. Pastores, campos, cielo, soledad. Sencillez en suma.»[2]

Creció, pues, en un ambiente rural y doméstico, en contacto con el campo y bajo la mirada de una madre protectora que velaba por el pequeño, que cuidaba su educación y hasta vigilaba sus pasos, ya que Federico, debido a sus pies planos y al detalle congénito de tener la pierna izquierda algo más corta que la derecha, caminaba con torpeza,

---

1. Federico GARCÍA LORCA, *Poesía inédita de juventud*, Madrid, Cátedra, 1994, pág. 432. A partir de este momento la sigla FGL sustituirá a Federico García Lorca en las citas de sus obras.

2. Federico GARCÍA LORCA, *Obras completas*, III, Barcelona, Galaxia Gutenberg-Círculo de Lectores, 1996, págs. 365 y 555.

cimbreando peculiarmente su cuerpo. Él mismo aludía, en uno de sus poemas tempranos, a sus «torpes andares» y a que éstos podían ser causa de rechazo amoroso. Y no andaría muy desencaminado aquel pequeño que, pese a su gran sociabilidad con otros niños, evitaba participar en juegos que exigían agilidad y destreza. Sus preferidos eran los corros y sus canciones (*La pájara pinta*, *La viudita*, *El arroyo de Santa Clara*, *El gavilán*...); y, cuando no, su floreciente imaginación y su despierta virtud de observar cuanto le rodeaba se encontraban de pronto con el maravilloso espectáculo del paisaje andaluz de su infancia:

> Siendo niño —evocaba el poeta—, viví en pleno ambiente de naturaleza. Como todos los niños, adjudicaba a cada cosa, mueble, objeto, árbol, piedra, su personalidad. Conversaba con ellos y los amaba. En el patio de mi casa había unos chopos. Una tarde se me ocurrió que los chopos cantaban. El viento, al pasar por entre sus ramas, producía un ruido variado de tonos, que a mí se me antojó musical. Y yo solía pasarme las horas acompañando con mi voz la canción de los chopos...[3]

Pero, además de los juegos infantiles y de ese don de niño contemplativo y observador, Federico mostró a muy corta edad un gusto especial por la *representación*. Él mismo confesaba su inclinación por construir teatritos y por montar altares para actuar en improvisados rincones de la casa. Entre sus recuerdos siempre quedó el regalo de un pequeño teatro que su padre había comprado en La Estrella del Norte, una conocida tienda de Granada. También evocaría más de una vez la llegada al pueblo de una pequeña *troupe* de gitanos que, durante varios días, deleitaba al pueblo con su humilde teatro de marionetas —aventuras

3. *Ibid.*, págs. 523-525.

de Cachiporra y otros personajes populares— que Federico nunca se perdía. También disfrutaba con las pequeñas representaciones que montaba en casa y para las que contaba siempre con un auditorio fiel y con colaboradores tan entregados como sus tres hermanos —Conchita, Paquito e Isabel—, sus primos, su madre y, sobre todo, las sirvientas. Fueron estas últimas, las criadas, las que dejaron una huella clara y fecunda en la infancia de Federico. El poeta nunca olvidó a Anilla *la Juanera*, a Dolores *la Colorina* y a Irene, que le enseñaron canciones, romances y versos dramáticos y alegres. «¿Qué sería de los niños ricos si no fuera por las sirvientas, que los ponen en contacto con la verdad y la emoción del pueblo?», declaraba el poeta en 1935, con motivo del estreno en Barcelona de su obra *Doña Rosita la soltera*.

2. Impresiones y paisajes

En el verano de 1909, el poeta se traslada con su familia a Granada. La decisión de vivir en la capital —aunque seguiría pasando los veranos en el campo— no fue del agrado de aquel muchacho de diez años que sentía profundamente tener que alejarse de ese paraíso primero que conformaba el paisaje de la Vega y el ambiente rural de unos orígenes a los que nunca renunciaría. De hecho, transcurridos los años, Federico seguía firme y fiel en su amor por la tierra que le vio nacer —«Me siento ligado a ella en todas mis emociones»—, reconociendo al mismo tiempo lo mucho que ese ambiente rural había afectado a su obra:

Mis más lejanos recuerdos de niño tienen sabor a tierra. Los bichos de la tierra, los animales, las gentes campesinas, tienen sugestiones que llegan a muy pocos. Yo las capto ahora con el mismo espíritu de mis años infantiles. De lo contrario no hubiera podido escribir *Bodas de sangre*.[4]

Parece innegable que una parte esencial de la poesía y del teatro de García Lorca se alimenta de las historias, de las leyendas, de la música y de las costumbres del entorno geográfico de la Vega. La experiencia de ese universo campesino caló intensamente en su vida, y no sólo como lugar idealizado al que necesitaba regresar cada cierto tiempo para activar su inspiración, sino como espacio y escenario de situaciones, de personajes y de hechos que sus ojos de niño retuvieron para siempre: el mundo de las criadas y de los jornaleros, las desigualdades sociales, las tradiciones que amparaban viejas injusticias, el resentimiento, la impotencia, el erotismo reprimido... Fue en esos años primeros cuando Federico desarrolló, como hemos señalado, su capacidad de observación, su mirada aguda y certera para recrear lugares y momentos que, partiendo de paisajes vividos, recordados, pasarían a convertirse en espacios simbólicos de las inquietudes humanas: el amor, la muerte, el deseo, la búsqueda de la identidad, la soledad...

La llegada a Granada removió en él, más si cabe, esa incipiente conciencia de las desigualdades sociales que había experimentado en su vida rural. Federico temía perder sus lazos con ese pasado en el que dejaba escuela y amigos. «Hoy de niño campesino me he convertido en señorito de ciudad», escribía el poeta desde sus años adolescentes.

Los niños de mi escuela son hoy trabajadores del campo y cuando me ven casi no se atreven a tocarme con sus manazas sucias y de piedra por el trabajo. ¿Por qué no corréis a estrechar mi mano con fuerza? ¿Creéis que la ciudad me ha

4. *Ibid.*, pág. 526.

23

cambiado? No… Vuestras manos son más sanas que las mías. Vuestros corazones son más puros que el mío. Vuestras almas de sufrimiento y de trabajo son más altas que mi alma. Yo soy el que debiera estar cohibido ante vuestra grandeza y humanidad. Estrechad, estrechad mi mano pecadora para que se santifique entre las vuestras de trabajo y castidad.[5]

Una vez encarrilada su vida en la capital andaluza y ya iniciado el Bachillerato —con el paréntesis de unos meses de estancia en un instituto de Almería—, Federico emprende estudios musicales con Antonio Segura Mesa, un verdadero maestro que encauzaría su sensibilidad hacia Beethoven, Debussy y Chopin, entre otros clásicos. Hasta esos días, el poeta había mostrado más afinidad por la música que por la literatura, de ahí que los amigos y los compañeros de clase le conocieran en ese tiempo como músico y como virtuoso del piano.

Se podría afirmar que en esos años, y hasta 1917, la vida del joven granadino estaba consagrada especialmente a la música, ya que a esos inicios en la canción y en los romances cantados de su infancia se une el estímulo que recibe del citado Antonio Segura, cuya influencia artística, filosófica e ideológica —ejercida hasta su muerte en 1916— se ve reflejada en el repertorio de temas, formas e imágenes que emplea Lorca en sus primeras obras. «Yo, ante todo, soy músico», dirá el poeta con vehemencia muchos años después (durante su viaje a Buenos Aires en 1933), sabedor de que fue la música el vehículo del que se pudo servir, en un primer momento, para dar salida a sus inquietudes.

El poeta andaluz se aproxima al arte por necesidad y por una exigencia vital. Lo hace, sin duda, en su primer libro, *Impresiones y paisajes*, escrito en prosa y dedicado con emoción a su maestro de piano: «A la venerada memo-

5. FGL, *Prosa inédita de juventud, op. cit.*, pág. 431.

24

ria de mi viejo maestro de música, que pasaba sus sarmentosas manos, que tanto habían pulsado pianos y escrito ritmos sobre el aire, por sus cabellos de plata crepuscular, con aire de galán enamorado...». Esta primera obra, publicada en 1918 en edición no venal y que costeó el padre de García Lorca, era, como veremos, más que una crónica de viajes por las tierras de España, un recorrido por el interior de las cosas, del «alma incrustada en ellas».

Pero para llegar a este libro inaugural, el autor tuvo que acabar, con más tropiezos que gloria, los estudios de Bachillerato y matricularse en la Universidad de Granada, ya en 1915, en el curso de acceso a las carreras de Derecho y de Filosofía y Letras. No sería un estudiante ejemplar ni brillaría por las notas obtenidas; sin embargo, su carácter, su ferviente inquietud por aprender y su talento artístico le permitieron congeniar desde el primer momento con profesores y compañeros decisivos para su formación, así como integrarse en círculos de amistad y en tertulias culturales. Como se ha señalado en muchas ocasiones, el ambiente intelectual que rodeaba al joven estudiante era de una riqueza sorprendente para una ciudad provinciana. Allí descubrió Federico la tertulia de «El Rinconcillo», situada en el café Alameda de la plaza del Campillo, donde se solía reunir un grupo de jóvenes intelectuales y artistas que, con el tiempo, desempeñarían importantes papeles en el mundo de la cultura, de las artes, de la educación y de la diplomacia. En los veladores de aquel café, incluso después de su traslado a Madrid, García Lorca compartió interminables charlas, entre otros con Manuel Ángeles Ortiz, Ismael González de la Serna, Melchor Fernández Almagro, Antonio Gallego Burín, José y Manuel Fernández Montesinos, Constantino Ruiz Carnero y Francisco García Lorca, hermano del poeta.

En el ámbito universitario, la figura del profesor Martín Domínguez Berrueta fue determinante en la formación de nuestro autor. Catedrático de Teoría de la Literatura y de las Artes, Domínguez Berrueta era un destacado discípulo de la corriente reformadora de la Institución Libre de Enseñanza, fundada en 1876 por Francisco Giner de los Ríos. Como docente forjado en el espíritu de aquella gran institución y como profesor progresista y renovador de los métodos educativos, era muy dado a organizar viajes con sus alumnos por los paisajes de España. Federico fue protagonista de varios de aquellos «viajes de arte» del catedrático institucionalista que le llevarían a descubrir tierras de Andalucía, Castilla, León y Galicia, así como a disfrutar de su primer encuentro con Antonio Machado en un instituto de Baeza, donde éste ejercía de profesor de francés, y con Miguel de Unamuno en la Universidad de Salamanca. Fue también el primer contacto del joven poeta de Granada con dos grandes referentes de la Generación del 98; todo un magisterio literario al que muy pronto uniría el de Rubén Darío y Juan Ramón Jiménez.

Estos viajes de estudio fueron reveladores y un verdadero hallazgo para Federico, hasta el punto de despertar su vocación de escritor. De esta experiencia surgiría el ya citado libro en prosa *Impresiones y paisajes*, que más que un diario de viajes habría que valorar como una selección de estampas de fuerte influencia modernista en las que se entrecruzan paisajes castellanos, campos machadianos, rincones finiseculares de jardines en ruinas, recuerdos de ciudades muertas, espacios donde habitan las almas románticas que el siglo desprecia y numerosas referencias a figuras y personajes de la música, del arte y de la literatura: Beethoven, Schumann, Mendelssohn, Zuloaga, Darío de Regoyos, Unamuno...

3. *A la conquista de Madrid*

A la influencia de Domínguez Berrueta en la etapa universitaria de Federico cabe unir la poderosa presencia de Fernando de los Ríos, catedrático de Derecho Político Comparado y futuro líder del socialismo español. Considerado, en cierto modo, el padre intelectual del poeta, el que fuera sobrino del fundador de la Institución Libre de Enseñanza, don Francisco Giner de los Ríos, no tardó en advertir lo beneficioso que podría ser para su discípulo trasladarse a Madrid, tal y como habían hecho otros miembros de «El Rinconcillo». «Deberías venir aquí —le sugería José Mora Guarnido al joven poeta desde la capital en una carta fechada en marzo de 1919—; dile a tu padre en mi nombre que te haría, mandándote aquí, más favor que haberte traído al mundo.»

Fernando de los Ríos logró convencer a los padres de Federico para que le dejaran salir de Granada y así continuar sus estudios en la Residencia de Estudiantes de Madrid, un lugar de confluencia de lo más granado de la juventud española y un hervidero de cultura que se proponía formar a una minoría de hombres y a una clase dirigente dentro del espíritu de la citada Institución Libre de Enseñanza. La que habría de ser la residencia y el hogar de Federico durante casi una década estaba ubicada en los altos del Hipódromo, en la calle Pinar número 21, en un lugar soleado y abierto, cerca del campo, que fue bautizado por el poeta Juan Ramón Jiménez con el nombre de la Colina de los Chopos. Su fundador, Alberto Jiménez Fraud, animado por Francisco Giner de los Ríos y por los principios de la Institución Libre de Enseñanza, había creado un espacio de encuentro interdisciplinar y laico muy semejante al de los *colleges* ingleses amparándose en un proyecto educativo nada improvisado. Es necesario recordar al respecto que, de no haber existido un lugar de semejantes características en aquel hermoso periodo de nuestra historia, difícilmente se hubieran encontrado los artistas y los escritores que dieron lugar a lo que conocemos como Edad de Plata y a la Generación o Grupo del 27.

En la Residencia, gracias a la valiosa política cultural de su director y fundador, los estudiantes pudieron disfrutar del talento, el arte, la literatura y la ciencia de numerosos conferenciantes e intérpretes, no sólo del país, sino también extranjeros, de la talla de Marie Curie, Le Corbusier, Chesterton, Ravel, Valéry, Claudel, Max Jacob, Marinetti, H. G. Wells, Cendrars… En la Residencia y durante esos años, Federico entablaría amistad con compañeros que, en mayor o menor medida, influirían en los derroteros de su obra. Allí conoció a Luis Buñuel, José Moreno Villa, Pepín Bello y Salvador Dalí.

Parece claro, como señala el profesor Ángel L. Prieto de Paula, que «nada hubiera sido lo mismo en Lorca sin la Residencia y los residentes, primeros receptores de muchas de sus obras y proyectos artísticos. Cuando salió de allí no sólo estaba formado como escritor, sino que ya era alguien consolidado en la cultura española»;[6] pero, de igual modo, no se puede entender la historia de la Residencia de Estudiantes sin la figura central de Lorca, que iluminó con su carácter extrovertido la vida cotidiana de aquel templo de la cultura.

La llegada a Madrid traía aparejado el descubrimiento de los ambientes literarios de la capital, los encuentros con directores y autores teatrales como Eduardo Marquina y Gregorio Martínez Sierra, y la toma de contacto con las vanguardias, con los ultraístas, con el creacionista Vicente Huidobro y con Ramón Gómez de la Serna. La otra gran

6. Ángel L. Prieto de Paula, «Introducción», en FGL, *Poesía selecta*, Valencia, Sansy Ediciones, 2018, pág. 17.

oportunidad que se le abrió al poeta, gracias a una carta de recomendación de Fernando de los Ríos, fue la visita a Juan Ramón Jiménez. La misiva, fechada el 27 de abril de 1919, decía:

Mi querido poeta:
Ahí va ese muchacho lleno de anhelos románticos: recíbalo usted con amor, que lo merece; es uno de los jóvenes en quien hemos puesto más vivas esperanzas.

La respuesta de Juan Ramón, remitida el 21 de junio de ese mismo año, sería complaciente y muy esperanzadora:

«Su» poeta vino, y me hizo una excelentísima impresión. Me parece que tiene un gran temperamento y la virtud esencial, a mi juicio, en arte: entusiasmo. Me leyó varias composiciones muy bellas, un poco largas quizá, pero la concisión vendrá ella sola. Será muy grato para mí no perderlo de vista.

A partir de aquella visita, Lorca y Juan Ramón iniciaron una amistad que se mantendría a lo largo del tiempo. A la admiración que sentía el primero por el poeta de Moguer hay que sumar la influencia decisiva del segundo en el joven de Fuente Vaqueros, así como una valiosa ayuda para publicar su poesía en revistas de prestigio como *España*, *La Pluma* o *Índice* y, sobre todo, para animarle a sacar a la luz, en los talleres de Gabriel García Maroto, su primera obra poética: *Libro de poemas*.

4. Libro de poemas

La actividad literaria de García Lorca entre 1919 y 1921 fue intensa, aunque para ello tuvo que dejar de lado sus estudios académicos: abandonó la carrera de Filosofía y

Letras y postergó la de Derecho, que concluyó en 1923. Su estreno como autor sería, no obstante, en 1920 con la representación en el teatro Eslava de Madrid de su obra *El maleficio de la mariposa*, que cosechó un estrepitoso fracaso.

No era todavía el momento literario de Lorca, que había sentido la llamada de la literatura tres años atrás y en circunstancias muy especiales, quizá como una nueva puerta de salida a la expresión de sus sentimientos y a una realidad cada vez más contradictoria y difícil. Al parecer, tal y como recordaba su hermano Francisco García Lorca, hacia 1917 «ya se había extinguido en mi hermano su primera vocación por la música, y ésta había dado paso a una ardiente afición literaria».[7] El propio poeta declaraba en 1935 con gran determinación: «Escribo, porque, si no, me pudro por dentro».[8] Con esta frase, el escritor nos pone en la pista de que la música, punto de partida y alimento primero de sus anhelos artísticos, había dejado de ser suficiente para objetivar sus contradicciones íntimas, sus inquietudes internas ante el hecho, por un lado, de aceptar su homosexualidad y, por otro, de enfrentarse a la condena social y a una relación conflictiva con el mundo y con él mismo.

La lucha consigo mismo y con la sociedad será la atmósfera que se respire y se desprenda de los primeros escritos de García Lorca y, por extensión, de toda su obra. Dicho en otros términos, durante su estancia en Nueva York en 1929, Lorca hizo importantes confesiones a un periodista norteamericano que se aventuró a resumir de este modo algunas notas de su biografía:

7. Francisco GARCÍA LORCA, *Federico y su mundo*, Madrid, Alianza, 1980, pág. 159.
8. FGL, *Alocuciones argentinas*, Madrid, Fundación Federico García Lorca, 1985, pág. 33.

La vida del poeta de Granada hasta el año de 1917 es dedicada exclusivamente a la música. Da varios conciertos [...]. Como sus padres no permitieron que se trasladase a París para continuar sus estudios iniciales, y su maestro de música murió, García Lorca dirigió su (dramático) patético afán creativo a la poesía. Entonces publicó *Impresiones y paisajes*.[9]

Probado queda que Federico García Lorca se aproxima a la literatura por necesidad y por una exigencia vital. Lo hace, como hemos visto, en su primer libro *Impresiones y paisajes*, en el que, desde el principio, invade el espacio entre él y el lector con un profundo tono de tristeza: «Amigo lector, si lees entero este libro, notarás en él una cierta vaguedad y una cierta melancolía. Verás cómo pasan cosas y cosas siempre retratadas con amargura, interpretadas con tristeza».

A las inquietudes estéticas y artísticas que llevaron a Federico a la literatura hay que sumar, sin duda, una frustración angustiosa que determinaría su vida y sus escritos: la erótica y sexual. Expulsado de la edad de la inocencia, comenzó a obrar en él la conciencia de una homosexualidad amargamente admitida; conciencia que si bien iba tomando cuerpo en los versos que comenzó a escribir en 1917, también se manifestó con escalofriante elocuencia en textos íntimos, como el fechado el 16 de mayo de 1917. En él, un poeta adolescente habla de la sexualidad que le angustia y que le impide dormir con serenidad:

Malaventurado yo, que tengo un amor irrealizable que es muerte en mis noches sin fin. Malaventurado yo, que caminaré hacia el fin lleno de temores y de asechanzas de la carne. Malaventurado yo, que por todas partes encuentro bo-

9. «Nota autobiográfica», en FGL, *Obras completas*, Aguilar, 1977.

cas que me hablan de mis pasiones. [...] Malaventurado de malaventurados, que en mis noches sin fin sueño con un amor que es mi misma carne y que nunca conseguiré alcanzar.[10]

Fuera de estos textos primitivos, el primer poema de Lorca del que se tiene constancia está fechado el 29 de junio de 1917. Lleva el título de «Canción» y el subtítulo de *Ensueño y confusión*. Entre ecos claros del modernismo de Rubén Darío, aquí ya empieza a advertirse el verdadero sentido de ese amor de su «misma carne», que se refiere a un amor de género también masculino. Así, su primera obra poética, *Libro de poemas*, publicada en 1921 y creada sobre el material escrito entre 1918 y 1920, dejará entrever el conflicto sexual lorquiano, sus indagaciones sobre la identidad, su heterodoxia religiosa y sus aspiraciones poéticas.

Hay en esta obra una colección amplia y dispersa de poemas que no obedecen a ningún criterio de ordenación, ni siquiera al cronológico, pero que, como anticipa el poeta en sus primeras páginas, va lleno de «ardor juvenil, y tortura, y ambición sin medida». Hay en el libro un regreso al mundo sereno de la infancia pero también un encuentro con las sombras provocadas por la pérdida de la inocencia. Sin caer en los excesos sentimentales de un modernismo tardío y desde unos postulados románticos y simbolistas, en *Libro de poemas* se percibe una voluntad de suavizar las influencias, los libros cercanos y la cultura aprendida en el proceso de fundir la experiencia adquirida y el contenido sentimental del poema. Pese a ello, son muchas las referencias a personajes literarios, a figuras de prestigio y a nombres de la mitología clásica y cristiana.

10. De «Místicas», texto publicado en FGL, *Prosa inédita de juventud*, Madrid, Cátedra, 1994, pág. 90.

Con todo, conviene recordar que Lorca llevaba dos años viviendo en Madrid cuando vio publicado este primer libro de versos y que, por esas fechas, el joven poeta granadino ya estaba depurando su poética y entregado al ambicioso proyecto de las «suites», un conjunto de poemas en el que trataba de volcar sus ideas y su nuevo horizonte estético.

5. Poema del cante jondo

El panorama estético que había encontrado García Lorca en Madrid distaba en muchos detalles de los postulados de su obra juvenil. Por un lado, Juan Ramón Jiménez encarnaba los principios de la poesía pura, desnuda, aquella que buscaba la esencia y el sentido de las cosas, sin anécdota ni artificio. Por otra parte, la vanguardia ultraísta apostaba fuerte por el ingenio, el poder absoluto de la metáfora y la ruptura. Federico, sin renunciar a su formación romántica y consciente de lo envejecida que estaba su poesía juvenil, no dudó en acoplar al nuevo lenguaje metafórico su tragedia íntima, las sombras de su mundo y su diálogo constante con la muerte y la sexualidad. En sus nuevas composiciones, el poeta parece hablar, a través de canciones, con la esfinge, a la que somete a eternas preguntas sobre el hombre, el sentido de la vida, del tiempo, de la muerte, de la identidad sexual… Se produce en estos nuevos poemas una tensión entre la luz y la sombra, la pureza y la irracionalidad, la razón y el deseo, la universalidad y la identidad, el amor y la angustia; una terrible dualidad que refleja, en el fondo, la tensión de la modernidad y el inevitable choque entre los valores públicos, establecidos y universales, y el *yo* de los deseos privados abocado a la frustración.

En ese contexto y durante una fase meditativa que se impuso el poeta a lo largo de tres años (desde finales de 1920 hasta julio de 1923) escribió las *Suites*, composiciones con estructura musical que tratan el mismo tema a través de variaciones y en las que el autor se permite volcar toda suerte de confesiones íntimas y de temas privados que, a través de la simbolización, se transfiguran y disuelven en audaces metáforas. Por medio de estas piezas, Federico pretendía alumbrar su yo más auténtico, penetrar en el jardín secreto de su verdadero corazón o, dicho con sus propias palabras y con sus propios versos: «jardín / de lo que no soy pero / pude y debí haber sido». El poeta confesaba a Fernández Almagro en julio de 1923:

> Yo notaba que mis versos huían entre mis manos, que mi poesía era fugitiva y *viva*. Como reacción a este sentimiento, mi poema actual es estático y sonámbulo. Mi *jardín* es el jardín de las posibilidades, el jardín de lo que no es, pero pudo (y a veces) debió haber sido, el jardín de las teorías que pasaron sin ser vistas y de los niños que no han nacido. Cada palabra del poema era una mariposa y he tenido que ir cazándolas una a una.[11]

Como anticipo de esta obra, la revista *Índice* (1921-1922), que dirigía Juan Ramón Jiménez, publicó en los números 2, 3 y 4, respectivamente, los polípticos titulados «El jardín de las morenas», «Suite de los espejos» y «Noche». Por lo demás, pese a que la edición de este conjunto impresionante de poemas (el más importante, numéricamente, de toda la obra de Lorca) se anunció en numerosas ocasiones, las *Suites* permanecieron dispersas e inéditas hasta 1983, fecha en que André Belamich las publicó. Es decir, se editaron cuarenta y siete años después de la muerte de su autor, acaso en cumplimiento de su voluntad si leemos con detalle la carta que escribió en agosto de

11. FGL, *Obras completas*, III, *op. cit.*, págs. 775-776.

1923 a José de Ciria y Escalante, en la que le trasmite el sufrimiento que le ha acarreado, en extremo doloroso, gestar y dar fin a las composiciones de esa obra: «Permito que me contestes a vuelta de correo, diciéndome qué te han parecido mis pobres versos, ¡pero no los leas a nadie! Cada día sufro más de ver que tengo que publicar en seguida mis *Suites*».[12]

Se podría afirmar que con las *Suites* se empieza a perfilar el mundo poético lorquiano y que ese mundo se reafirma, por circunstancias no previstas, en 1921 con la escritura, en un espacio muy corto de tiempo, de un libro nuevo y sorprendente: *Poema del cante jondo*.

Para entender el origen y el sentido de esta segunda obra poética hay que dirigir la atención necesariamente hacia la figura de Manuel de Falla y remontarnos al mes de septiembre de 1920, fecha en la que el compositor se traslada a Granada. Su presencia en la ciudad andaluza había sido acogida con entusiasmo por el grupo de jóvenes e iconoclastas amigos de la tertulia de «El Rinconcillo»; también por Federico, que no pasó por alto la oportunidad de estrechar lazos con el autor de *El amor brujo*, sobre todo a partir del verano de 1921, cuando Falla fijó su residencia en el carmen de Santa Engracia, muy próximo a la Alhambra. El poeta, pese a vivir en Madrid, pasaba algunas temporadas en Granada con su familia y no dudó en aprovechar sus estancias en la ciudad para frecuentar la casa del maestro. Fue así como se inició y maduró una sincera y, al mismo tiempo, provechosa amistad que proporcionó a Lorca una lectura nueva de su entorno y un acercamiento a ese diálogo musical entre las vanguardias europeas y las tradiciones nacionales. Federico se encontraba ocupado, como hemos visto, en un frenético proceso creativo en el que, además de las *Suites*, tenía la volun-

12. *Ibid.*, pág. 777.

tad de hacer «una obra popular y andalucísima», según confiesa a Melchor Fernández Almagro en una carta de 1 de julio de 1922. El joven de Fuente Vaqueros, que había dedicado páginas y páginas (especialmente en *Impresiones y paisajes*) a las sobrias tierras de Castilla y al paisaje físico y espiritual de Unamuno, de Machado y de Azorín, descubría ahora, como seña de identidad del alma andaluza —con Juan Ramón como referencia— la sensualidad frente a la austeridad castellana, la honda expresión de la angustia frente al sentimiento trágico de la vida unamuniano. Su contacto con Manuel de Falla no hizo sino acelerar y dotar de pleno sentido el esfuerzo personal de trasladar a Andalucía los paradigmas espirituales del 98 y su eterna y polvorienta alma castellana.

De ese tiempo surgieron entre el poeta y su valedor diferentes proyectos musicales y teatrales, pero el que sin duda alcanzó mayor repercusión fue la organización del Primer Concurso de Cante Jondo, que se celebraría finalmente en Granada en junio de 1922. El certamen, promovido por Falla, el pintor Ignacio Zuloaga y el propio García Lorca, tenía, entre sus objetivos, determinar la diferencia entre el cante jondo —de orígenes insospechados y remotos— y el flamenco, reivindicar todo el respeto para el primero y elevarlo a la categoría de arte, demostrar la poderosa influencia del cante jondo en el cante y en el baile no sólo de la música española, sino también de la francesa y en la rusa, preservarlo de la adulteración musical y de la banalización folclórica, y premiar a los cantaores no profesionales. En resumen, el objeto del concurso era, desde el principio, conectar el arte musical de Andalucía con el arte universal, pero desde esa fórmula estética de Falla que conciliaba lo local con lo universal. Y en tales circunstancias, quien sacó mayor provecho de todo ello fue el joven Lorca. Lo hizo con la conferencia que pronunció el 19 de febrero de 1922 en el Centro Artístico de Granada, «El cante jondo. Primitivo canto andaluz»,[13] verdadero manifiesto de su propia poética; pero la consecuencia más valiosa fue la escritura durante el mes de noviembre de 1921 de *Poema del cante jondo*, un libro que aportaba importantes novedades a su ya conocida obra poética, desde la concepción del cante jondo como la herencia de una sabiduría primitiva que procede de la noche de los tiempos, la visión renovada de la Andalucía romántica, el encuentro con las verdades naturales de la vida y de la muerte, y una conciencia trágica que se personifica en la figura de la Pena. En este libro, Lorca ensaya por primera vez la interpretación lírica de un mundo ajeno al de su propia intimidad, un mundo que Manuel de Falla había recreado en *La vida breve* y *El amor brujo*: el mundo gitano; de ahí que el compositor mostrara abiertamente su entusiasmo por esta nueva orientación de la poesía de su discípulo, que consideraba «una especie de prolongación mía».[14]

Federico era plenamente consciente de este cambio en su concepción del poema y así se lo comunica a Adolfo Salazar en una carta fechada en Granada el 1 de enero de 1922:

> Es una cosa distinta de las suites y llena de sugestiones andaluzas. Su ritmo es *estilizadamente popular* y saco a relucir en él a los *cantaores* viejos y a toda la fauna y flora fantástica que llena estas sublimes canciones: el Silverio, el Juan Breva, el Loco Mateo, la Parrala, el Fillo... y ¡la Muerte! [...]

13. El texto de esta conferencia, ya con el título definitivo de «Importancia histórica y artística del primitivo canto andaluz llamado cante jondo», sería revisado años después por el autor y leído en Argentina, Uruguay y varias ciudades españolas.

14. Palabras extraídas de una carta de Manuel de Falla a María Muñoz, directora del Conservatorio Bach de La Habana, en septiembre de 1927. La reproduce en facsímil Manuel Orozco en *Falla (Biografía ilustrada)*, Barcelona, Destino, 1968, pág. 111.

El poema empieza con un crepúsculo móvil y por él desfilan la *siguiriya*, la *soleá*, la *saeta* y la *petenera*. El poema está lleno de gitanos, de velones, de fraguas…[15]

El nuevo libro, además, explora en las posibilidades del poema corto, inspirado en la intensidad, brevedad y concentración temática de las coplas del cante jondo; toda una revelación para él que le inspira interesantes reflexiones: «Causa extrañeza y maravilla cómo el anónimo poeta del pueblo extracta en tres o cuatro versos toda la rara complejidad de los más altos momentos sentimentales en la vida del hombre».[16] Este poema corto de nueva factura viene servido con un lenguaje metafórico más propio de la vanguardia ultraísta, desarrolla variaciones líricas sobre los distintos palos del cante jondo, genera atmósferas, como el mismo poeta señala, alrededor de la siguiriya, la soleá, la saeta y la petenera, y presenta al poeta-cantaor como un médium entre el lamento profundo de la tierra y el diálogo entre el amor y la fatalidad.

Del conocimiento del cante jondo, Lorca había extraído esos elementos que se convertirán en permanentes en su poesía: estilización (capacidad de crear un ambiente con muy pocos elementos), patetismo (disidencia poética con la realidad establecida, la que provoca el llanto-cante de un pueblo), espíritu angustiado (del que manan preguntas sobre la muerte) y formalización del sentimiento.

Poema del cante jondo, pese a ser escrito de un solo trazo en el otoño de 1921 (con el añadido posterior de algún nuevo poema), no se publicó hasta diez años después. Fue en la primavera de 1931 cuando la joven y modesta Ediciones Ulises, fundada por Julio Gómez de la Serna a la sombra de la Compañía Iberoamericana de Publicaciones, de-

15. FGL, *Obras completas*, III, *op. cit.*, pág. 728.
16. *Ibid.*, pág. 44.

cidió sacar el libro a la luz. No obstante, la obra se dio a conocer parcialmente al público el 7 de junio de 1922 en una lectura realizada en el Hotel Palace de Granada, dentro de los actos de propaganda del Primer Concurso de Cante Jondo. Tras esta experiencia poética, la amistad entre Falla y García Lorca no hizo sino reforzarse. Partiendo de un uso estilizado del folclore, ambos comparten la idea de crear un teatro ambulante, «Los Títeres de Cachiporra», inspirado en los Ballets Rusos de Diáguilev, con los que Falla había colaborado. Ambos también ofrecieron en casa del poeta, para familiares y amigos, un delicioso espectáculo de títeres en la festividad de los Reyes Magos de 1923. En aquella velada, con Falla al piano, Federico estrenó *La niña que riega la albahaca y el príncipe preguntón* (pieza basada en un viejo cuento andaluz), y se interpretó *La historia del soldado* de Ígor Stravinski.

Falla siguió orientando a García Lorca en ese proceso de reconciliar las nuevas corrientes estéticas con las formas populares. En 1923, ambos se hallaban ocupados en la opereta lírica *Lola, la comedianta*, que nunca llegaron a terminar. Al año siguiente, el compositor acompañó a Federico a dar la bienvenida a Juan Ramón Jiménez, que visitó a la familia García Lorca durante el mes de julio de 1924. Una visita que resultaría trascendente para los tres.

6. *De* Canciones *a «Oda a Salvador Dalí»*

Cuando en noviembre de 1921 Lorca ya tiene acabado el núcleo central del *Poema del cante jondo*, llevaba algún tiempo trabajando en otro nuevo libro: *Canciones*. Se trataba de un conjunto extenso de poemas de composición muy lenta que el autor dio por concluido hacia 1924. En la onda de ese compromiso adquirido con la tradición, de la construcción de un discurso propio a partir del folclore literario y musical andaluz, hay en esta obra un deseo de trascender lo meramente popular, pero también un interés firme en la palabra, en su sonoridad y en su misterio. *Canciones* aglutina en su esencia dos caras del espíritu del poeta: la musical (Federico no dejó nunca de ser un juglar) y la infantil. De esta última se extrae que en Federico García Lorca hay siempre un poeta-niño cuya «frescura —como indica Guillermo Díaz-Plaja— estriba no solamente en la manera ingenua y sencilla de decir, sino también en la visión de un mundo primario, análogo al de los cuentos».[17] Pero no será ésta la única dualidad que prevalezca en el libro. En él conviven y se interfieren una zona de luz, de voz sencillísima, cristalina y con una parte de sombra, con un complejo mundo de sentimientos. Algunos poemas, como los incluidos en el grupo de «Canciones infantiles», son divertimentos de una graciosa y aparente superficialidad en la que se «aniña» la expresión. Lo vemos en composiciones como «Canción china en Europa» y «[El lagarto está llorando]». En el grupo, por ejemplo, de «Juegos y canciones de luna», la metáfora se vuelve cada vez más audaz y el fondo del poema se enturbia de conjuros y de supersticiones. El sonsonete limpio de la canción (ritmo alegre) se tiñe de un presentimiento trágico.

El ambiente en el que se gesta el libro *Canciones*, así como el de su antecesor en escritura (*Poema del cante jondo*), es el de la música y el del mundo de los gitanos, de la guitarra y de todo lo que se adhiere a los días perdidos de la infancia del poeta. En una carta a Adolfo Salazar, Federico confesaba el 2 de agosto de 1921:

17. Guillermo Díaz-Plaja, *Federico García Lorca,* Madrid, Espasa-Calpe, 1973, pág. 96.

Estoy aprendiendo a tocar la guitarra. Me parece que lo flamenco es una de las creaciones más gigantescas del pueblo español. Acompaño ya fandangos, peteneras y *er cante de los gitanos*: tarantas, bulerías y romeras. Todas las tardes vienen a enseñarme el Lombardo (un gitano maravilloso) y Frasquito *er de La Fuente* (otro gitano espléndido). Ambos tocan y cantan de una manera genial, llegando hasta lo más hondo del sentimiento popular. Ya ves si estoy divertido.[18]

Lorca concluye el libro *Canciones* en 1924. Por esas fechas, el poeta estaba terminando su pieza teatral *Mariana Pineda* y había comenzado a escribir los primeros poemas de *Romancero gitano*. Su vida transcurría habitualmente en Madrid, donde había echado raíces y afianzado amistades, principalmente con los compañeros de la Residencia de Estudiantes. De todas ellas, la relación con el pintor Salvador Dalí iba a tener consecuencias humanas y artísticas para ambos, incluso históricas para la literatura y el arte contemporáneos. En 1925, Lorca pasó la Semana Santa en Cadaqués, al lado del artista y de su familia. Poco antes, en abril de 1925, el poeta escribía a sus padres para justificar aquel viaje y aceptar así el ofrecimiento de los familiares de su amigo de pasar unos días en la costa catalana:

Dalí me invita espléndidamente. He recibido una carta de su padre, notario de Figueras, y de su hermana (una muchacha de esas que ya es volverse loco de guapa) invitándome también, porque a mí me daba vergüenza de presentarme de huésped en su casa. Pero son una clase de familia distinta a lo general y acostumbrada a vida social, pues esto de invitar gente a su casa se hace en todo el mundo menos en España. Dalí tiene empeño en que trabaje esta Semana

18. Carta recogida en la revista *Trece de nieve*, núms. 1 y 2, Madrid, diciembre de 1976, pág. 34; también en FGL, *Obras completas*, III, *op. cit.*, pág. 717.

Santa en su casa de Cadaqués y lo conseguirá, pues me hace ilusión salir unos días a pleno mar y trabajar y ya sabéis vosotros cómo el campo y el silencio dan a mi cabeza todas las ideas que tengo.[19]

Aquel primer viaje de Federico a Cataluña fue una experiencia de completa felicidad, tanto en Cadaqués como en Figueras. La visita se repetiría, con una estancia más larga, entre mayo y julio de 1927. Hasta esa fecha, Dalí y Federico fueron amigos inseparables. El primero había llegado a Madrid, a la Residencia de Estudiantes, en 1922 para cursar estudios en la Real Academia de Bellas Artes de San Fernando. Ambos se conocieron a comienzos de 1923. Desde entonces y durante cinco años, sus mundos artísticos se aproximaron y se compenetraron de tal modo que se ha llegado a hablar de un «periodo daliniano» en la obra de García Lorca (Mario Hernández) y de una «época lorquiana» en la del pintor ampurdanés (Santos Torroella). Juntos debatieron sobre cuestiones estéticas de gran calado. Juntos exploraron la poesía y la pintura contemporáneas, así como el arte del pasado. Juntos perfilaron el libro *Los putrefactos*, nunca escrito en la práctica, en el que Dalí pensaba incluir una serie de dibujos satíricos de figuras del arte costumbrista y tradicional contra el que se rebelaban los jóvenes. Fue en el comedor de la casa familiar de Dalí donde el poeta vio representada por primera vez su tragedia *Mariana Pineda*, en la que recreaba la historia de la heroína granadina valiéndose de poderosas escenas románticas.

Al terminar —recuerda la hermana de Dalí, Ana María—, todos estábamos conmovidos. Mi padre gritaba, exaltado, diciendo que Lorca era el poeta más grande del siglo. Yo te-

19. FGL, *Obras completas*, III, *op. cit.*, pág. 830.

nía los ojos llenos de lágrimas, y Salvador nos miraba, curioso y enorgullecido, como diciendo: «¡Eh!, ¿qué os creíais?».[20]

La obra se estrenaría ante el público en el Ateneo de Barcelona el 24 de junio de 1927, con decorados de Salvador Dalí y una inolvidable actuación de Margarita Xirgu.

Dalí introdujo a su compañero en los entresijos de la pintura moderna (a ese conocimiento se debe la conferencia «Sketch de la nueva pintura» que Federico dictó en varias ciudades) y también sacó de él sus dotes plásticas, propiciando y reseñando una exposición de veinticuatro dibujos a color de Lorca en las prestigiosas Galerías Dalmau de Barcelona a la que acudieron críticos, poetas y artistas como Sebastià Gasch, Luis Muntanyá, J. V. Foix, Rafael Barradas, Regino Sainz de la Maza y G. Gutiérrez Gili. En justa correspondencia, el poeta andaluz publicó en 1928, en las páginas de la revista granadina *Gallo*, que dirigía su hermano Francisco, el texto de Dalí titulado «San Sebastián», un ensayo en forma de narración en el que exponía su estética de la «santa objetividad» y daba a conocer el «Manifiesto antiartístico catalán».

Sin embargo, de todo ese intercambio de afectos y de influencias, lo que sobrevivió al tiempo y la distancia fue la composición que Federico dedicó a su amigo en 1926. En una carta fechada en febrero de ese mismo año, el poeta comentaba a su hermano: «He terminado la "Oda a Salvador Dalí", que queda una gran pieza de ciento cincuenta versos alejandrinos»;[21] pero más que una pieza que añadir a su dilatada producción y más que una poetización de la estética cubista, el poema, que fue publicado en las páginas de la *Revista de Occidente* en abril de 1926, era la sín-

20. Testimonio recogido por José Luis Cano en su libro *García Lorca*, Barcelona, Destino, 1974, pág. 50.
21. FGL, *Obras completas*, III, *op. cit.*, pág. 880.

tesis y el testimonio de los sentimientos que el pintor inspiraba al poeta en aquellas fechas, la declaración de una amistad profunda, pero, sobre todo, la manifestación de una pasión amorosa no correspondida.

7. *Tricentenario de Góngora*

El año en que ve la luz el libro *Canciones*, 1927, publicado como suplemento de la revista malagueña *Litoral*, será recordado por un acontecimiento que acabó dando carta de naturaleza a todo un grupo poético: la conmemoración del tricentenario de la muerte de Luis de Góngora. El interés por el poeta barroco venía de unos años atrás, ya fuera desde el ensayo «Escorzo de Góngora» que lanza Gerardo Diego en 1924, y con el que se solidarizaron otros poetas de su promoción, ya desde la conferencia «La imagen poética de don Luis de Góngora», que el propio García Lorca pronunció en Granada el 13 de febrero de 1926. En ella se subrayaba la grandeza del autor de las *Soledades*, la originalidad de sus imágenes, el esplendor sintáctico y léxico de su obra, su capacidad para armonizar mundos diversos a través de la mitología y, sobre todo, su dominio del mecanismo de la metáfora y de la inspiración.

Este descubrimiento de Góngora, tan desdeñado hasta entonces por los popes de la cultura académica, vino a iluminar el proceso creador de García Lorca y a manifestarse de modo más elocuente en el libro que le lanzaría a la celebridad: *Romancero gitano*. Redactados entre 1924 y 1927, los poemas de este libro suponían la culminación de todo un conjunto de esfuerzos renovadores. Hasta esa fecha, el poeta granadino se había servido de materiales de la tradición para reinventar el gran mito de Andalucía, deslumbrando con sorprendentes metáforas y construyendo espacios narrativos de enorme carga emocional. Entre finales de 1925 y marzo de 1926, al conocer y estudiar a Góngora, Federico descubre el valor fosforescente de la palabra, la técnica y la condensación en cada término de una gran cantidad de sensorialidad. «Un poeta —escribe García Lorca— tiene que ser profesor en los cinco sentidos corporales. [...] La metáfora une dos mundos antagónicos por medio del salto ecuestre que da la imaginación.»[22] Y es precisamente la «imaginación» el concepto que mejor define, hasta 1928, la trayectoria poética de nuestro autor; una etapa audaz en la que ahonda en la realidad a veces invisible en que se mueve el hombre, pero sin salir todavía de la lógica humana, sin desligarse libremente de la razón y de ese código que se apoya en el orden y en el límite. Nuestro poeta había aprendido de Góngora la técnica magistral de la imagen, es cierto, pero no tardará en descubrir que hay que ir más allá, alcanzar espacios nunca recorridos, atravesar el espejo.

Pero ese momento no llegaría hasta 1928, a la vuelta de un año que sirvió para aunar a toda una promoción de poetas que encontraron unánimemente en el lenguaje de Luis de Góngora una lluvia vivificadora. Aquel 1927, tras una campaña de homenajes y un programa de actuaciones en favor de su figura y de su obra, el colofón del tricentenario del poeta cordobés se concentró en Sevilla. Invitados por el Ateneo de la ciudad, en el mes de diciembre se reunieron en la capital hispalense casi todos los representantes de la que pronto se conocería como Generación del 27. Allí, en una foto realizada —presumiblemente por Pepín Bello— en el salón de la Sociedad Económica de Amigos del País, posaron para la historia Jorge Guillén, Rafael Alberti, Gerardo Diego, Dámaso Alonso, Juan Chabás, José Bergamín, Federico García Lorca y Mauricio Bacarisse.

22. «La imagen poética de don Luis de Góngora», conferencia recogida en FGL, *Obras completas*, III, *op. cit.*, págs. 58 y 60.

Faltarían en la instantánea, entre otras celebridades masculinas, Vicente Aleixandre, Pedro Salinas, Luis Cernuda, Manuel Altolaguirre y Emilio Prados. Lo que en principio prometía ser una entusiasta revisión de Góngora fue en realidad una toma de postura frente a la vulgaridad realista y el arte viejo, además de una presentación oficiosa en sociedad de un grupo que se situaba en el centro de la escena literaria española.

Poco después de aquella experiencia sevillana que culminó con un banquete en la venta de Antequera, una sonada juerga en Pino Montano (la finca del torero Ignacio Sánchez Mejías), una travesía nocturna por el Guadalquivir y el primer encuentro entre Luis Cernuda y García Lorca, la publicación en julio de 1928 de *Romancero gitano* fue, más que la aparición de un nuevo libro, la culminación de un fenómeno largamente esperado y anunciado. Hasta esa fecha, Lorca no había dejado de ser un poeta de círculos privados, de lecturas en ateneos, centros de cultura y casas particulares, de publicaciones de corto alcance y de acceso restringido. Sin embargo, esta obra vino acompañada de un éxito desmedido e inmediato que propagó la mitificación en vida de un «poeta-gitano», costumbrista y popular; es decir, la imagen de la que Federico había tratado de huir con un conjunto de romances, según sus propias palabras, «antipintoresco, antifolclórico, antiflamenco, donde no hay ni una chaquetilla corta, ni un traje de torero, ni un sombrero plano, ni una pandereta…».[23]

Lorca había partido del modelo del romance para ampliar el mundo simbólico andaluz que venía explorando en su poesía. El romance se prestaba a la dramatización, a la inserción de rápidos diálogos, a la unión de lírica y narración, a la fusión de la fuerza del símbolo y el desarrollo

---

23. «Conferencia-recital del *Romancero gitano*», en FGL, *Obras Completas*, III, *op. cit.*, pág. 179.

del relato, al encuentro entre lo mitológico y lo vulgar. El poeta había partido del Romancero tradicional, de la vieja estrofa, para conducirla hacia la cima de la estilización, hacia una dimensión profunda, nunca explícita, de la realidad.

> Yo quise fundir el romance narrativo con el lírico —explica el poeta— sin que perdiera ninguna calidad y este esfuerzo se ve conseguido en algunos poemas del *Romancero* como el llamado «Romance sonámbulo», donde hay una gran sensación de anécdota, un agudo ambiente dramático y nadie sabe lo que pasa ni aun yo, porque el misterio poético es también misterio para el hombre que lo comunica, pero que muchas veces lo ignora.[24]

Con *Romancero gitano*, García Lorca insistía en su interpretación vanguardista y modernizadora del Romanticismo pero, sobre todo, aniquilaba la frontera entre lo culto y lo popular; partía de lo gitano, de lo costumbrista, para elevarlo a la categoría de supremas verdades andaluzas; construía un universo poético personalísimo, un espacio mítico pero, a la vez, susceptible de ser considerado como propio por el lector, que se veía reflejado en él y en él se reconocía. Pese a ello, pese al alto propósito de esta obra y su éxito fulminante, la incomprensión y el desagrado que provocaron al mismo tiempo en algunos compañeros crearon mucho desconcierto y no poco dolor en el poeta granadino. El propio Federico ya había intuido las consecuencias de la publicación de *Romancero gitano* para su imagen pública, y así se lo había trasmitido a Jorge Guillén en enero de 1927 por medio de una carta:

> Me va molestando un poco mi mito de gitanería. [...] Los gitanos son un tema. Y nada más. Yo podía ser lo mismo poe-

24. *Ibid.*, pág. 180.

ta de agujas de coser o de paisajes hidráulicos. Además, el gitanismo me da un tono de incultura, de falta de educación y de poeta salvaje que tú sabes bien no soy. No quiero que me encasillen. Siento que me va echando cadenas.[25]

Pero las reacciones negativas no tardaron en llegar, empezando por Salvador Dalí, de quien se había distanciado en el último año. Dos meses después de la publicación de *Romancero gitano*, el pintor ampurdanés arremetía duramente contra él en una carta en la que condenaba su estética trasnochada, costumbrista e incapaz de emocionar. Ni siquiera Juan Ramón Jiménez, en quien Lorca siempre halló comprensión y apoyo, eludía criticar el andalucismo «de pandereta»[26] de la obra; ese costumbrismo sucio, populachero y pintoresco que José Bergamín igualmente despreciaba desde las páginas de *La Gaceta Literaria* en una alusión velada a *Romancero gitano* y a «todo lo gitano andaluz».[27]

Al desasosiego causado por las críticas de unos y el elocuente silencio de otros se vino a sumar una crisis sentimental de no menores proporciones tras las tortuosas relaciones amorosas con el pintor Emilio Aladrén. «Estoy convaleciente de una gran batalla y necesito poner en orden mi corazón —confesaba a Rafael Martínez Nadal en una carta de agosto de 1928—. Ahora sólo siento una grandísima inquietud. Es una inquietud de vivir, que parece que mañana me van a quitar la vida».[28] En términos parecidos se expresaba Rafael Martínez Nadal tras apuntar que aquél fue el único periodo de depresión que vivió el poeta en

25. Carta recogida en FGL, *Obras completas*, III, *op. cit.*, pág. 940.
26. Juan Ramón JIMÉNEZ, *La corriente infinita*, Madrid, Aguilar, 1961, pág. 157.
27. José BERGAMÍN, «*Sobre los ángeles*, de Rafael Alberti», reseña aparecida en *La Gaceta Literaria*, marzo de 1929.
28. FGL, *Obras completas*, III, *op. cit.*, pág. 1069.

toda su existencia: «Federico estaba triste, buscaba la soledad, no hablaba de sus proyectos (él, que siempre estaba acariciando alguno), y, lo que era más grave aún, no leía a nadie sus nuevos poemas».[29]

Todo se confabulaba contra el poeta pero también todo parecía exigirle un cambio determinante, una salida inmediata a su insatisfacción estética, amorosa y vital. Y la respuesta llegaría en breve con un viaje que le alejaría por un tiempo del aire enrarecido de Madrid y de Granada, y con la irrupción en su poética de un nuevo elemento —el duende, la evasión— muy próximo a la retórica surrealista con el que poder expresar su desarraigo íntimo, sus terribles contradicciones, el dolor profundo de una homosexualidad no asumida y la angustia ante un mundo obstinado en no escuchar y no entender.

II. CICLO DE LA EVASIÓN: NUEVA YORK (1929-1930)

8. *Inspiración y evasión*

En septiembre de 1928, Lorca confiesa en una carta dirigida al escritor colombiano Jorge Zalamea que la suya es ya «una poesía de abrirse las venas, una poesía evadida ya de la realidad como una emoción donde se refleja todo mi amor por las cosas y mi guasa por las cosas».[30] Ese mismo mes, y en respuesta a las opiniones negativas de Dalí sobre *Romancero gitano*, Federico escribía a Sebastià Gasch:

> Claro que mi libro no lo han entendido los *putrefactos*, aunque ellos digan que sí. A pesar de todo, a mí ya no me interesa nada o casi nada. Se me ha muerto en las manos de

29. José Luis CANO, *op. cit.*, pág. 71.
30. FGL, *Obras completas*, III, *op. cit.*, pág. 1079.

la manera más tierna. Mi poesía tiende ahora otro vuelo más agudo todavía. Me parece que un vuelo personal.[31]

A la crisis estética y sentimental que por esas fechas sufre el poeta se une el triunfo del irracionalismo en todos los ámbitos artísticos. En esta nueva etapa, nuestro autor va a escapar de la realidad imaginativa para entrar en una fase más libre y compleja: la de la intuición y la evasión. En términos eruditos se podría decir que Lorca pasa de la metáfora de Góngora al símbolo de san Juan de la Cruz. Descubre ahora una verdad en el poema que nada tiene que ver con la frecuentada realidad; al contrario que la imaginación, la inspiración carece de lógica humana y nos remite a una lógica puramente poética. «Ya no sirve la técnica adquirida —confesaba a finales de 1928 el autor de *Romancero gitano*—, no hay ningún postulado estético sobre el que operar; y así como la imaginación es un descubrimiento, la inspiración es un don, un inefable regalo».[32] El propio Lorca afirmaba que:

> Góngora es el perfecto imaginativo, el equilibrio verbal, y el dibujo concreto. No tiene misterio ni conoce el insomnio. En cambio san Juan de la Cruz es lo contrario, vuelo y anhelo, afán de perspectiva y amor desatado. Góngora es el académico, el terrible profesor de lengua y poesía. San Juan de la Cruz será siempre el discípulo de los elementos, el hombre que roza los montes con los dedos de los pies.[33]

García Lorca daba a conocer su nueva concepción estética en octubre de 1928, en el Ateneo de Granada, con una conferencia titulada «Imaginación, inspiración y evasión en poesía». Tanto en el contenido teórico de esta charla

31. Recogido por José Luis CANO, *op. cit.*, pág. 72.
32. FGL, *Obras completas*, III, *op. cit.*, pág. 191.
33. *Ibid.*, pág. 108.

como en el que escribió para una segunda conferencia impartida por esas fechas, «Sketch de la nueva pintura», el poeta defendía ya una obra desligada de esas imágenes sujetas a la razón y proponía romper con los sistemas de control intelectual para crear desde un estado de pura evasión poética. Podríamos pensar que esa poesía de «evasión» a la que se refiere el poeta responde, en esencia, a los postulados del surrealismo, pero él mismo se adelantó a matizar esta impresión en una carta a Sebastià Gasch fechada en septiembre de 1928:

> Ahí te mando los dos poemas. Yo quisiera que fueran de tu agrado. Responden a mi nueva manera *espiritualista*, emoción pura descarnada, desligada del control lógico, pero, ¡ojo!, ¡ojo!, la conciencia más clara los ilumina. Son los primeros que he hecho. Naturalmente, están en prosa porque el verso es una ligadura que no resisten. Pero en ellos sí notarás, desde luego, la ternura de mi actual corazón.[34]

Lorca estaba reconociendo que su nueva *manera* de expresión, aun partiendo de ciertos recursos de la atmósfera surrealista, respondía a una interpretación muy personal del irracionalismo propuesto por las vanguardias. Era, más que eso, una lectura vanguardista del Romanticismo y de su conciencia trágica, una necesidad de romper con las fórmulas artísticas tradicionales para hallar un nuevo lenguaje en la *evasión*.

Y la evasión en esos últimos meses de 1928 era ya una necesidad, dadas las circunstancias: una traumática ruptura sentimental con Emilio Aladrén; un distanciamiento también doloroso de amigos ya lejanos como Dalí y Luis Buñuel, que habían criticado duramente su obra; la insatisfacción estética generada tras su último libro y el eterno

---

34. *Ibid.*, pág. 1080.

problema íntimo de su homosexualidad, emocionalmente muy mal gestionado y siempre oculto.

La decisión de dejarlo todo por un tiempo vino a coincidir con la llegada a Madrid en 1928, procedente de París, de Carlos Morla Lynch, diplomático chileno cuya devoción y amistad serán un consuelo para el poeta hasta sus últimos días. Tanto Morla como su esposa Bebé, que habían quedado deslumbrados con la lectura de *Romancero gitano*, hicieron de su hogar una segunda casa para Federico, como recuerda José Luis Cano:

> [...] un refugio casi constante, ya que en ella encontraba, además, a sus mejores amigos y a los poetas de su generación: Manolo y Concha Altolaguirre, Luis Cernuda, Rafael Martínez Nadal, Santiago Ontañón, el capitán Iglesias y muchos otros, en animadas reuniones, en las que Federico ponía siempre su risa alegre y contagiosa, su palabra llena de fantasía y de gracia.[35]

Con esa amistad inaugurada y no pocos deseos de cambiar de vida, García Lorca vio el cielo abierto y la oportunidad de salir de la «penumbra sentimental» —así definía su estado a su amigo argentino González Carbalho— en que se encontraba cuando Fernando de los Ríos, viejo maestro y protector de Federico, le propuso acompañarle a Nueva York, donde tendría la oportunidad de respirar aire nuevo, conocer la lengua inglesa, pisar por primera vez un país extranjero y poner en práctica sus nuevos postulados estéticos. El poeta no lo dudó ni un instante y en mayo de 1929 viajó a Granada para despedirse de su familia. Desde allí comunicó a Morla Lynch la aventura que iba a emprender:

35. José Luis CANO, *op. cit.*, pág. 72.

Carlos: el sábado por la noche salgo de Granada para estar en Madrid el domingo en la mañana. Estoy en Madrid dos días para ultimar unas cosas, y enseguida salgo para París-Londres, y allí embarcaré a Nueva York. ¿Te sorprende? Yo estoy muerto de risa por esta decisión. Pero me conviene y es importante en mi vida… Nueva York me parece horrible, pero por eso mismo me voy allí. Creo que lo pasaré muy bien. […] Este viaje me será utilísimo. Mi papá me da todo el dinero que necesito y está contento de esta decisión mía. […] Tengo además un gran deseo de escribir, un amor irrefrenable por la poesía, por el verso puro que llena mi alma todavía estremecida como un pequeño antílope por las últimas brutales flechas. Pero… ¡adelante! Por muy humilde que yo sea, creo que *merezco* ser amado.[36]

9. *Un poeta en Nueva York*

Poesía y vida son difíciles de separar en el caso de Lorca. A su amor por ese *verso puro* une su necesidad de ser amado. Su nuevo proyecto creativo conlleva la exigencia de definir su proyecto existencial. Con ambos, proyecto y deseo, embarcó en el trasatlántico *Olympic* en el puerto inglés de Southampton. En él cruzó el océano hasta llegar a la costa norteamericana el 26 de junio de 1929. Le esperaban nueve meses de estancia en Nueva York y Vermont (hasta marzo de 1929) y tres en Cuba (hasta junio de ese mismo año); un tiempo que iba a cambiar su visión de sí mismo y que suponía una inflexión en su concepción artística, que tomaría una dirección hacia caminos inexplorados donde la evasión y el *duende*, como ahora veremos, marcarán su poesía de madurez.

La ciudad de Nueva York, con todo el impacto que la gran urbe iba a ejercer en la sensibilidad de un autor cria-

36. FGL, *Obras completas*, III, *op. cit.*, págs. 1100-1101.

do en la naturaleza granadina, suponía un valiosísimo estímulo para soltar la expresividad sentimental prevista en su nueva estética, con efectos irracionales, sobre todo ante un paisaje urbano —símbolo de la crisis de una sociedad deshumanizada y fallida— que se unía, como una gran metáfora, a la crisis individual del poeta.

García Lorca encontró en su viaje sobradas razones para rechazar los excesos de la sociedad capitalista pero también elementos nuevos que pasaron a formar parte de su equipaje poético. Fueron su enorme capacidad de absorción y su carácter abierto y siempre comprensivo los que le permitieron familiarizarse pronto con la diversidad racial, artística, social y religiosa de América. Allí se produjo su primer contacto con las masas urbanas y con un mundo mecanizado, al tiempo que asimilaba los ritmos afroamericanos de los negros que tocaban *jazz* y *blues* en locales de mejor o peor reputación. Allí descubrió el teatro en lengua inglesa, la poesía de T. S. Eliot y Walt Whitman, de quienes aprendería recursos rítmicos y las insospechadas posibilidades del versículo. Allí fue testigo del primer cine sonoro, hasta el punto de plantearse trabajar para él y de escribir un guion para una película. Así se lo comunica a su hermana Conchita a los cuatro meses de llegar a Nueva York: «me he aficionado al cine hablado, del que soy ferviente partidario porque se pueden conseguir maravillas. [...] En el cine hablado se oyen los suspiros, el aire, todos los ruidos, por pequeños que sean, con una justa sensibilidad».[37] Allí descubriría los positivos y negativos estragos de la modernidad, siendo testigo del *crack* de la bolsa de 1929, aquellos últimos días de octubre que el poeta narraba con espantosa belleza a su familia en una carta fechada en noviembre de ese año:

37. FGL, *Obras completas*, III, *op. cit.*, pág. 1146.

Estos días he tenido el gusto de ver… (o el disgusto…) la catástrofe de la bolsa de Nueva York. […] El espectáculo de Wall Street, del que ya os he hablado y donde están las centrales de todos los bancos del mundo, es inenarrable. Yo estuve más de siete horas entre la muchedumbre en los momentos del gran pánico financiero. No me podía retirar de allí. Los hombres gritaban y discutían como fieras y las mujeres lloraban en todas partes. […] Las calles, o mejor dicho los terribles desfiladeros de rascacielos, estaban en un desorden y un histerismo que solamente viéndolo se podía contemplar el sufrimiento y la angustia de la muchedumbre.[38]

Los ojos de Federico habían visto de cerca las consecuencias del sometimiento humano, no a un cataclismo provocado por la naturaleza, sino a la codicia de unos cuantos plutócratas sin escrúpulos. Y ello, unido a los modos de segregación racial y al paisaje de una sociedad que se descompone y que sojuzga a los negros, que muestra impúdicamente su racismo, provocará que también allí, en los días neoyorquinos de un poeta de Granada, García Lorca comience a escribir las primeras composiciones de *Poeta en Nueva York*, uno de los libros más importantes de su trayectoria y uno de los más significativos de la poesía española del siglo XX. Es en esta obra donde un nuevo elemento, el *duende*, pasa a formar parte de la poética lorquiana. El *duende* está unido a los términos antes citados de inspiración y evasión, nace de la conciencia más aguda del dolor y empuja de continuo a buscar nuevas formas de expresión, a no conformarse con lo ya creado.

Los poemas que surgen en esta época se caracterizan, pues, por una gran libertad formal. Su objetivo no es otro que la búsqueda de sensaciones totalmente inéditas, nuevos acentos, paisajes ignorados, ruptura con todos los có-

38. *Ibid.*, pág. 1148.

digos literarios preexistentes. Y es precisamente el *duende* la energía que conduce al poeta a indagar en lo nuevo, en lo nunca explorado, en el misterio de las cosas.

Lorca se hallaba esos días —pese a sentirse en muchos momentos deprimido y aislado— en el periodo más intenso y prolífico de su creación. Los poemas del ciclo de *Poeta en Nueva York* (1929-1930) significaban el vuelo más alto alcanzado hasta ese momento. Con los matices ya comentados, el autor andaluz había evolucionado hacia un superrealismo que se respiraba en el ambiente y que afectó a otros miembros de su generación, sólo que en él cualquier formulación surrealista se ajusta a un discurso donde la frustración y la encarnadura emocional son reales, profundamente enraizadas y de un contenido ético verdadero y asumido hasta lo más hondo.

Frente a cualquier teoría del surrealismo, Lorca prefiere hablar del papel primordial del *duende*, que es ausencia de lógica racional y que condena al fracaso a todo aquel que quiera tener acceso a la poesía por la vía exclusiva de la razón o de la erudición. «Para buscar al duende —declaraba Federico en su conferencia "Juego y teoría del duende"— no hay mapa ni ejercicio.»[39]

Pese a todos los amigos nuevos y viejos que Federico encontró en la gran urbe, lo que se respira en esta obra es una infinita soledad. Hay en ella un choque entre la identidad individual y la social del autor. Hay un encuentro entre el mundo propio —las dudas y torturas sobre la condición sexual, la esterilidad, el desarraigo afectivo, las críticas de la sociedad literaria— y los problemas de una urbe (símbolo de la civilización americana) que permite el racismo y que se desmorona por su falta de valores. Pero hay además en esta obra una crisis personal que conduce a una crisis cultural más amplia y al consecuente abandono de

39. *Ibid.*, pág. 153.

los estilos poéticos anteriores. Se trata de la crisis de la modernidad, que provoca entre 1928 y 1932 libros como *Sobre los ángeles* de Rafael Alberti, *Un río, un amor* y *Los placeres prohibidos* de Luis Cernuda, *Espadas como labios* de Vicente Aleixandre y *Cuerpo perseguido* de Emilio Prados.

En el caso que nos ocupa, poemas como «1910. *Intermedio*», «Norma y paraíso de los negros», «Paisaje de la multitud que vomita», «La aurora» o «Nueva York. *Oficina y denuncia*» remiten a un enfrentamiento entre la naturaleza y la organización social que limita y oprime; una organización social que, con sus normas represoras, devora todo elemento individualizador y trata de aniquilar esa naturaleza que en Lorca se traduce en espacios de la infancia, modos espontáneos de oralidad, pulsiones limpias y primarias, sexualidad inocente y amor verdadero. También en poemas de esta nueva factura hay oposición entre el campo y la ciudad, la libertad y la intolerancia, los subyugados y los tiranos, tal y como se aprecia en los negros que tratan de afirmarse en una sociedad regida por el poder blanco, el capitalismo y los grandes especuladores; tal y como sucedía también con los gitanos y su leyenda frente a un poder simbolizado por la Guardia Civil en los poemas de *Romancero gitano*.

En Nueva York, Federico se hospedó en una habitación de estudiantes de la Universidad de Columbia, pero también visitó Vermont y Newburgh. Se encontró con Ángel del Río, Federico de Onís, Dámaso Alonso, León Felipe, Ignacio Sánchez Mejías y La Argentinita, entre otros amigos españoles. Inició nuevos afectos con Herschel Brickell, Mildred Adams y Olin Downes. Impartió conferencias en la Universidad de Columbia y en Vassar College. Escribió parte de su obra *La zapatera prodigiosa* y comenzó dos piezas dramáticas que suponían una seria ruptura con las convenciones formales: *Así que pasen cinco años* y *El público*.

A comienzos de marzo de 1930 dejó Nueva York. Viajó en tren a Miami y desde allí embarcó hacia La Habana. Su estancia de tres meses en la isla, además de generarle una gran sensación de alivio y libertad, significó un descubrimiento de la «América española» y sus raíces, de una tierra risueña y sensual que le recibía con los brazos abiertos. Entre el 7 de marzo y el 12 de junio de 1930 el poeta vivió intensamente el contacto con una cultura en la que podía reconocerse y encontrarse; un mundo de sones, ritmos y folclore, de música y bailes afrocubanos, que incorporaría a su obra poética. De aquel folclore y de aquella música pudo hablar con el matrimonio Antonio Quevedo y María Muñoz, amigos de Manuel de Falla y fundadores del Conservatorio de Música Bach. Tuvo ocasión de encontrase con Adolfo Salazar y el grupo de poetas cubanos de la revista *Avance*. Conoció a José Lezama Lima y Nicolás Guillén, a los hermanos Loynaz (Dulce María, Flor, Enrique y Carlos Manuel) en su «casa encantada» del barrio del Vedado. Impartió con gran éxito varias conferencias (sobre el cante jondo, Góngora y las canciones populares) en la Institución Hispano-Cubana de Cultura y trabajó en su drama homoerótico *El público*.

III. Ciclo del amor y de la muerte (1931-1936)

10. *La Barraca: teatro errante*

Lorca regresa a España en la primavera de 1930 cargado de proyectos y con un libro prácticamente acabado, *Poeta en Nueva York*, que por distintos azares no vería la luz hasta 1940, cuatro años después de la muerte de su autor.

Concluye su pieza teatral *El público* y realiza una lectura de la obra en casa de Morla Lynch. Antes de finalizar el año, asiste al estreno de *La zapatera prodigiosa* en el teatro

Español de Madrid por la compañía de Margarita Xirgu y con la dirección de Cipriano Rivas Cherif.

1931 es un año que el poeta reparte entre Granada y Madrid, colaborando con entusiasmo en diferentes proyectos literarios y culturales. En la residencia granadina de la Huerta de San Vicente, situada a las afueras de la ciudad, Federico pondrá fin a su obra *Así que pasen cinco años*, drama que, junto a *El público* y *Comedia sin título*, formaba parte de una trilogía de piezas vanguardistas que, dadas sus dificultades para ser representadas, no pudieron llevarse a escena en vida del autor. Tras la proclamación de la Segunda República en abril de ese mismo año, Lorca comienza a colaborar ilusionado con los Comités de Cooperación Cultural del nuevo gobierno realizando lecturas de sus poemas e impartiendo conferencias en ciudades como Salamanca, Sevilla y Santiago de Compostela, todo ello evocando el viejo espíritu institucionalista de difundir el conocimiento por los pueblos de España, intercambiar ideas y forjar lo que el poeta llamaba «una maravillosa cadena de solidaridad espiritual».

El reencuentro con ese viejo sueño propició, ya en el verano de 1932, la organización del teatro universitario La Barraca, acaso la aportación de mayor calado de García Lorca a la política cultural de la República. Federico había experimentado en Nueva York el vigor y el arraigo del teatro no profesional, pero la idea de llevar, a través de un grupo de universitarios, el teatro clásico español al espacio público menos favorecido le sedujo definitivamente. El proyecto se había empezado a fraguar en noviembre de 1931, tal y como relata el diplomático chileno Carlos Morla Lynch en sus diarios:

Muy entrada la noche irrumpe Federico en la tertulia con impetuosidades de ventarrón. Viene en extremo vibrante, exaltado, preso de una euforia que poco a poco nos contagia. […] Se trata de una idea nueva que ha surgido, con la violencia de una erupción, en su espíritu en constante efervescencia. Concepción seductora de vastas proporciones: construir una barraca —con capacidad para 400 personas—, con el fin de «salvar al teatro español» y de ponerlo al alcance del pueblo. Se darán, en el galpón, obras de Calderón de la Barca, de Lope de Vega, comedias de Cervantes, etc. […] La Barraca será portátil. Un teatro errante y gratuito. […] Resurrección de la farándula ambulante de los tiempos pasados. […] Llevaremos —dice— La Barraca a todas las regiones de España; iremos a París, a América…, al Japón…[40]

El sueño se quedaría en las tierras de España, pero fue lo suficientemente ancho como para colmar durante cuatro años las expectativas de aquella compañía dirigida por Lorca y Eduardo Ugarte y, sobre todo, para proporcionar al poeta un conocimiento profundo de la trastienda teatral, un contacto directo con el pueblo y una experiencia que despojará su escritura dramática de una excesiva carga poética. «A medida que avanza hacia su muerte —señala Prieto de Paula—, el teatro lorquiano va cuajando en una mayor desnudez trágica, donde la poesía emana del nudo dramático y no se posa sobre él, asfixiándolo y ocultándolo.»[41]

11. *Buenos Aires y Montevideo*

Mientras La Barraca comenzaba a recorrer pueblos y caminos ajenos a la «burguesía frívola y materializada» de

40. Carlos MORLA LYNCH, *En España con Federico García Lorca*, Sevilla, Renacimiento, 2008, págs. 147-148.
41. Ángel L. PRIETO DE PAULA, «Introducción», en FGL, *Poesía selecta*, *op. cit.*, pág. 26.

Madrid, la labor literaria de Lorca se multiplica. En agosto de 1932 da por concluida *Bodas de sangre*, obra que suponía un serio aire de renovación en el panorama teatral español, y viaja por el país impartiendo conferencias y lecturas pero, sobre todo, va dando forma a una poesía de aparente factura tradicional, de falso regreso a lo folclórico, que al cabo de dos años cuajará en un poemario titulado *Diván del Tamarit*. La producción poética de García Lorca en su último tramo creativo se puede definir como distanciada de ciertos excesos de la vanguardia y con un cambio significativo de tono. Mantiene la desgarradura y los estragos del *duende*, su lenguaje libre y vertiginoso, pero vestido esta vez con ropajes métricos tradicionales en sus nuevas composiciones poéticas. Surge ahora una verdad, una intensidad cautivadora regida por la pasión amorosa, el desarraigo íntimo, el diálogo con la muerte y un abanico de recursos y de imágenes que no abandonan la irracionalidad y que persiguen todavía la evasión.

En 1933, Federico afianza su figura como dramaturgo y alcanza una popularidad que no veía desde la aparición de *Romancero gitano*. Mantiene su gira con La Barraca, que ahora tiene como secretario a Rafael Rodríguez Rapún, con quien el poeta inicia una nueva relación sentimental que se verá reflejada en futuros poemas. Su teatro ha dado un salto a América y, en el verano de ese año, la compañía de Lola Membrives estrena en Buenos Aires *Bodas de sangre*. El éxito de la tragedia lorquiana fue de tal magnitud que el poeta tuvo que viajar a Argentina tras recibir la invitación del empresario teatral Juan Reforzo. Federico permaneció cerca de seis meses en Buenos Aires y Montevideo, desde octubre de 1933 hasta finales de marzo de 1934. Allí tuvo tiempo de dirigir algunas producciones, realizar lecturas públicas, dictar una serie de conferencias en la Sociedad de Amigos del Arte y tomar conciencia de las dimensiones que habían alcanzado su nombre y su obra en países hermanos. La prueba es que *Bodas de sangre* aguantó varios meses en cartel (superó las ciento cincuenta representaciones) y pronto se sumaron a la racha de éxitos obras como *Mariana Pineda*, *La zapatera prodigiosa*, el *Retablillo de don Cristóbal* y una adaptación de *La dama boba* de Lope de Vega. En una carta de 17 de febrero de 1934, vislumbrando ya su vuelta, el poeta relataba a su familia los pormenores de su experiencia americana en estos términos:

> Me voy contento por veros, pero triste de abandonar a estas grandes ciudades donde he tenido verdaderas apoteosis que nunca olvidaré y donde tengo mi porvenir económico, pues aquí puedo ganar el dinero que jamás ganaré en España. Lo de Montevideo ha sido un éxito enorme. Fui al desfile en el Carnaval y me tuve que ir a mi casa, porque la gente me aplaudía por las calles. «¡Ahí va Lorca!» [...] Por mucho que diga, nunca os lo podréis imaginar.[42]

El viaje le deparó asimismo nuevas y buenas amistades, entre ellas la de los poetas Juana de Ibarbourou, Norah Lange, Oliverio Girondo y Ricardo Molinari, la del autor mexicano Salvador Novo y, sobre todo, la del poeta chileno Pablo Neruda, con quien sellará un afecto que los mantendría unidos hasta la muerte de Federico.

Su regreso a España en abril de 1934 quedó puntualmente recogido por Morla Lynch en su diario:

> Reaparición de Federico, que llegó esta mañana de América, tostado, jubiloso, exultante. [...] Viene fascinado por el talento de Pablo Neruda, con quien se encontró en Buenos Aires. Me ha traído el regalo mayor que podía ofrecerse: «Un poema que ha escrito para mí a bordo». [...] Ya está aquí.

---

42. FGL, *Obras completas*, III, *op. cit.*, pág. 1256.

Diríase que con ello cambia el paisaje: que se levantara de nuevo el sol después de una noche larga.[43]

12. Diván del Tamarit y Llanto por Ignacio Sánchez Mejías

Tras su vuelta a España, Federico se entrega frenéticamente al teatro y a vivir con intensidad lo que la suerte y el trabajo le deparen. Ese mismo verano acaba la escritura de *Yerma*, que de nuevo estrenará Margarita Xirgu a finales de año en Madrid. Sus esfuerzos por la renovación del teatro español se hacen notar en la concepción de sus propias obras, a través de La Barraca, de la creación de clubes teatrales y de la organización de agrupaciones que pondrían en escena piezas clásicas o contemporáneas apartadas de los circuitos comerciales. Lorca estaba reclamando ya una «vuelta a la tragedia», a un teatro de contenidos morales, existenciales y sociales, alejado de la comedia burguesa y del melindroso teatro neomodernista. Aprovechaba cualquier declaración pública (conferencia, entrevista o intervención) para recordar que el artista tenía una responsabilidad social. Así lo expresó en el teatro Español, delante del público, durante una de las representaciones de *Yerma*:

Yo no hablo esta noche como autor ni como poeta, ni como estudiante sencillo del rico panorama de la vida del hombre, sino como ardiente apasionado del teatro y de su acción social. El teatro es uno de los más expresivos y útiles instrumentos para la educación de un país y el barómetro que marca su grandeza o su descenso. Un teatro sensible y bien orientado en todas sus ramas, desde la tragedia al vode-

43. Carta fechada el 12 de abril de 1934. Véase Carlos MORLA LYNCH, *op. cit.*, pág. 386.

vil, puede cambiar en pocos años la sensibilidad de un pueblo; y un teatro destrozado, donde las pezuñas sustituyen a las alas, puede achabacanar a una nación entera. El teatro es una escuela de llanto y de risa y una tribuna libre donde los hombres pueden poner en evidencia morales viejas o equivocadas y explicar con ejemplos vivos normas eternas del corazón y el sentimiento del hombre. Un pueblo que no ayuda y no fomenta su teatro, si no está muerto, está moribundo.[44]

Parecida vehemencia había puesto el poeta en la elaboración de *Diván del Tamarit*, libro que en septiembre de 1934 daba a la Universidad de Granada para su publicación. Detrás del aire oriental de ese conjunto de poemas, donde las novedades líricas se visten con formas tradicionales, estaba más presente que nunca el mundo simbólico de Lorca, un universo propio por el que el autor se movía confiado, reconociéndose en cada elemento de esa mitología personal. El libro representaba la perfección de la madurez. Federico venía de celebrar la compleja labor de establecer un diálogo entre la vanguardia europea y la poesía de tradición hispánica. Había jugado con lo culto y lo popular, con la oda y el romance, con los palos del flamenco y los versículos sagrados, con Góngora y el surrealismo, con la canción y el exabrupto ultraísta. Y ahora, sabiéndose ganador en ese proceso combinatorio, se permitía inventar una tradición auténticamente lorquiana, disfrazada de orientalismo, en la que se unía lo perdido y lo presente, lo remoto y lo próximo, lo familiar y lo extraño.

El antecedente ideológico del libro podría situarse en 1930 con la publicación de los *Poemas arábigoandaluces*, una edición de Emilio García Gómez que ponía de actualidad la tradición árabe española y que había despertado el interés de algunos autores de la Generación del 27.

44. FGL, *Obras completas*, III, *op. cit.*, pág. 255.

A García Lorca le pillaba más de cerca esa recuperación de una cultura tan arraigada en Granada y que bien pudo inspirarle a la vuelta de Nueva York para sus futuras composiciones. Declaraba el poeta al periodista Gil Benumeya el 15 de enero de 1931:

> Yo creo que el ser de Granada me inclina a la comprensión simpática de los perseguidos. Del gitano, del negro, del judío…, del morisco, que todos llevamos dentro. Granada huele a misterio, a cosa que no puede ser y, sin embargo, es. […] Ahora veo la poesía y los temas con un jugo nuevo. Más lirismo dentro de lo dramático.[45]

En este libro de *casidas* y *gacelas*, de aparente sencillez formal pero de honda factura, regresaban con un poder perturbador los asuntos más personales del poeta: sus conflictos íntimos, su agónico diálogo con la inocencia, con el amor, con la muerte y con la fatalidad.

Diván del Tamarit corrió la misma suerte que otras obras de García Lorca y no fue publicado hasta 1940. Las razones de aquel retraso en la edición, que provocó el consecuente enfado del poeta, nunca fueron aclaradas por la Universidad de Granada, pero no sería peregrino imaginar que el autor, dada su relevancia pública y su ya declarado compromiso, resultara incómodo para personas cercanas a ideologías militaristas y radicales. Por esas mismas fechas *Yerma* había sido calificada por la prensa conservadora de obra «inmoral» y «pornográfica»; opiniones y ataques que, lejos de amedrentar al poeta, le animaron a «luchar para seguir conservando la independencia que me salva… Para calumnias, horrores y sambenitos que empiecen a colgar sobre mi cuerpo, tengo una lluvia de risas de campesino para mi uso particular».

45. *Ibid.*, págs. 378-379.

El ambiente político estaba crispado durante aquellos días de 1934, que se vieron enturbiados en verano con la noticia de la muerte de Ignacio Sánchez Mejías. El torero, que se había retirado de los ruedos y que disfrutaba de una espléndida madurez dedicada a la vida social y a la escritura, sufría una gravísima cornada en Manzanares tras su imprudente regreso al toreo ese mismo año. Su muerte en un hospital de Madrid el 13 de agosto levantó una ola de reacciones e impactó especialmente en sus amigos y compañeros de generación. Rafael Alberti escribió la elegía *Verte y no verte* (México, 1935) en memoria del torero. Miguel Hernández compuso el poema «Citación fatal» y la pieza dramática *El torero más valiente*, guiado acaso por el propósito de acercarse a los poetas del 27 y ganarse su aprobación. Pero el efecto que la tragedia causó en Federico fue de tal calado que dio lugar a uno de los poemas mayores de la literatura en lengua castellana: *Llanto por Ignacio Sánchez Mejías*, compuesto en otoño de 1934 y publicado por la revista *Cruz y Raya* (Ediciones del Árbol) en 1935.

Esta elegía de más de doscientos versos que resume todas las virtudes poéticas del universo lorquiano se divide en cuatro partes, cada una con un modelo métrico diferente: «La cogida y la muerte», «La sangre derramada», «Cuerpo presente» y «Alma ausente». Excepto el *ubi sunt*, Lorca respeta en la construcción del poema los elementos genéricos de la elegía funeral: presentación del hecho, lamento, invitación y magnificación del llanto, panegírico y consolación.

13. Sonetos del amor oscuro

García Lorca siguió cosechando triunfos teatrales a lo largo de 1935. Tras el gran éxito de *Yerma* en Madrid y la puesta en escena en el teatro Coliseum de una versión ampliada de *La zapatera prodigiosa*, el repertorio del poeta se desplaza a Barcelona, donde se realizan representaciones de *Bodas de Sangre* y de *Yerma*, y donde se produce el estreno en el teatro Principal Palace de *Doña Rosita la soltera o el lenguaje de las flores*, obra recién acabada que vuelve a protagonizar Margarita Xirgu. Con esta actriz y su compañía también acudió Federico a Valencia en noviembre para llevar al escenario *Yerma*. Es en esta ciudad donde pudo encontrarse, entre otros, con el poeta Juan Gil-Albert y donde cabe situar la redacción de alguno de los poemas de un libro anunciado en ese tiempo por el autor. Se trataba de un conjunto de sonetos amorosos que no llegaría a concluir y que pasaría a la historia literaria con el título de *Sonetos del amor oscuro*.

> Recordaré siempre —confesaba Vicente Aleixandre en 1937— la lectura que me hizo, tiempo antes de partir para Granada, de su última obra lírica, que no tenía terminada. Me leía sus *Sonetos del amor oscuro*, prodigio de pasión, de entusiasmo, de felicidad, de tormento, puro y ardiente monumento al amor en que la primera materia es ya la carne, el corazón, el alma del poeta en trance de destrucción.[46]

Lorca, que a finales de ese año de 1935 pudo ver publicado el cuaderno de sus *Seis poemas galegos* (escritos años atrás con el apoyo lingüístico de Eduardo Blanco-Amor y Ernesto Pérez Guerra), estaba plenamente embarcado en la que iba a ser su última obra poética, esos poemas de amor con los que regresaba a la fórmula clásica y pura del soneto, «a las formas de la preceptiva —como él mismo explicaba en 1936— después del amplio y soleado paseo

---

46. Vicente ALEIXANDRE, «Federico», en *Hora de España*, núm. VII, Valencia, julio de 1937, pág. 43.

por la libertad de metro y rima».[47] El poeta tenía como precedente inmediato, entre otros, dos libros de referencia: *Abril*, de Luis Rosales, y *El rayo que no cesa*, de Miguel Hernández, publicados respectivamente en 1935 y en enero de 1936. Pero la aventura del granadino era de tan altos y profundos vuelos que consigue emparentar el tono de sus composiciones con la tradición poética de san Juan de la Cruz:

> Llena, pues, de palabras mi locura
> o déjame vivir en mi serena
> noche del alma para siempre oscura.

Al espíritu y a los versos sanjuanistas regresaba el poeta ignorando que ese encuentro con el místico de la evasión y del misterio sería su última e intensa experiencia poética, tan poblada de guirnaldas felices y de verdad amorosa como de drama interior y de fatalidad.

14. *Muerte de un poeta*

En 1936, Federico García Lorca gozaba de una gran popularidad tanto en el mundo literario como en ámbitos menos cultos. Si por un lado su seductora personalidad despertaba olas de admiración, también cabe admitir que sus intervenciones públicas y sus declaraciones a la prensa por aquellos meses sobre la injusticia social le reportaron numerosas antipatías y le situaron en el centro de velados insultos y descalificaciones por parte de sectores derechistas. La situación política en el país se había agravado hasta el punto de resultar insostenible. Pese a la hostilidad del ambiente, Federico no ralentiza en ningún momento su acti-

---

47. FGL, *Obras completas*, III, *op. cit.*, pág. 635.

vidad. Organiza y participa en homenajes, como el dedicado a Rafael Alberti y María Teresa León el 9 de febrero, a Valle-Inclán cinco días más tarde en el teatro de la Zarzuela, tras su fallecimiento a comienzos de año, y a Luis Cernuda el 19 de abril por la publicación de *La realidad y el deseo*. Imparte conferencias y lecturas. Escribe nuevos poemas para su futuro libro de sonetos y concluye a comienzos de verano su esperada pieza teatral *La casa de Bernarda Alba*, que leerá para los amigos en casa del doctor Eusebio Oliver el 12 de julio. Gracias a la entrevista publicada en el diario madrileño *La Voz* en abril de 1936, sabemos que el poeta, cercano ya a los treinta y ocho años, además de haber puesto punto final a su tragedia andaluza, tenía muy avanzada su *Comedia sin título* (o *El sueño de la vida*) y había comenzado a escribir una nueva obra —*Los sueños de mi prima Aurelia*—, inspirada en sus días de infancia en la Vega granadina. Tenía previsto realizar un viaje a México, donde se encontraría con Margarita Xirgu, pero todo se vendría abajo en apenas unos días con el golpe militar del 17 de julio contra la República y con el comienzo de la Guerra Civil.

Muchos se preguntaban cuál era la relevancia pública de Lorca en aquellos momentos, la significación ideológica de un poeta que detestaba la política partidista y que había resistido la presión de grandes amigos —Rafael Alberti, María Teresa León, Pablo Neruda— para afiliarse al Partido Comunista. Sin embargo, en situaciones de odio y de venganza, ser el protegido de un ministro socialista como Fernando de los Ríos o el compañero y autor de una actriz como Margarita Xirgu, haberse pronunciado en contra de los privilegios de la oligarquía y del reaccionarismo moral e ideológico, participar en sospechosos homenajes y actos del Frente Popular, firmar manifiestos o ser, sencillamente, homosexual, podía acarrear serios problemas y reacciones incontroladas de los sectores más conservadores. Además, Federico había sido honesto y claro en diversas entrevistas en las que, entre lo profesional y lo artístico, había dejado patente su compromiso social con los desfavorecidos. Así de contundente se mostraba ante el periodista Felipe Morales el 7 de abril de 1936:

> El Mundo está detenido ante el hambre que asola los pueblos. Mientras haya desequilibrio económico, el Mundo no piensa. Yo lo tengo visto. Van dos hombres por la orilla de un río. Uno es rico, otro es pobre. Uno lleva la barriga llena, y el otro pone sucio el aire con sus bostezos. Y el rico dice: «¡Oh qué barca más linda se ve por el agua! Mire, mire usted el lirio que florece en la orilla». Y el pobre reza: «Tengo hambre, no veo nada. Tengo hambre, mucha hambre». Natural. El día que el hambre desaparezca, va a producirse en el Mundo la explosión espiritual más grande que jamás ha conocido la Humanidad. Nunca jamás se podrán figurar los hombres la alegría que estallará el día de la Gran Revolución. ¿Verdad que estoy hablando en socialismo puro?[48]

Días antes del alzamiento militar, el poeta tenía serias dudas sobre su destino. Tras realizar la lectura de *Bernarda Alba* en casa del doctor Oliver optó por resguardarse en la casa familiar y buscar allí el sosiego que en una ciudad como Madrid, marcada por los actos violentos, no podía encontrar. El 14 de julio ya se hallaba en la Huerta de San Vicente, junto a los suyos, con la mala fortuna de que, seis días más tarde, el centro de Granada estaba en manos del bando rebelde y de las fuerzas falangistas. No tardaron en detener a Manuel Fernández Montesinos, alcalde de la ciudad y cuñado del poeta, quien, tras ser arrestado en las dependencias del Ayuntamiento y pasadas unas semanas, fue fríamente fusilado. Ante el horror y la inseguridad de permanecer en la finca, varias veces registrada por grupos

---

48. FGL, *Obras completas*, III, *op. cit.*, pág. 632.

de sublevados, la familia valoró las escasas alternativas que se presentaban: huir a zona republicana, refugiarse en casa de Manuel de Falla, cuyo prestigio internacional podría servirle de protección, o instalarse en casa de la familia Rosales. Federico optó por esta última, dada su larga amistad con el poeta Luis Rosales y la confianza que le unía a sus hermanos, significados falangistas.

De nada serviría aquella protección ante el fanatismo del derechista y exdiputado de la CEDA Ramón Ruiz Alonso, que, acompañado de un desproporcionado operativo, detuvo al poeta y lo trasladó a la sede del Gobierno Civil. Allí, bajo la custodia del comandante Juan Valdés Guzmán, fue acusado de espía ruso, de homosexual y de haber sido secretario de Fernando de los Ríos, figura por quien Ruiz Alonso sentía un odio inmenso. Ni las gestiones realizadas por los Rosales ni la labor mediadora de Manuel de Falla sirvieron para disuadir a las fuerzas rebeldes. El poeta, junto con otros detenidos, fue llevado al pueblo de Víznar, donde pasó la última noche en una agónica prisión. De madrugada sería trasladado en camión hasta la carretera de Alfacar para ser fusilado con las primeras luces del amanecer y enterrado en un lugar incierto. Aquel 18 de agosto de 1936 quedaría fijo en miles de memorias; sin embargo, durante días, semanas, incluso meses, nadie quiso o pudo dar crédito al rumor de que Federico había sido asesinado:

9 de septiembre. No creemos en la ignominia
Recibo un cable de Chile con una sola palabra; «Federico» […]

Hace frío de repente en la estancia, y diríase que un velo negro, oscuro como un abismo, descendiera frente a mí.

Fusilado… Asesinado… ¿Cuándo? ¿Dónde? ¿Por quiénes?

¡Dios mío! Yo que lo consideraba invencible, triunfador siempre; niño mimado por las hadas, querido de todos —más que querido—, ¡adorado!… ¡Y feliz más allá de lo humano!

Me parece escuchar su voz de aquella noche, que era
—sin sospecharlo— la última:
«Yo soy del partido de los pobres…, pero de los pobres
buenos».
Y diríase que esta voz, de pronto, adquiriera un tono más
festivo:
«¿Y te gusta España?».
Una convulsión escalofriante me sacude entero.
Me cubro el rostro con las dos manos.[49]

Estas palabras extraídas del diario de Carlos Morla Lynch
se acoplan emocionalmente al final de esta introducción,
pero preferimos acabar con la reflexión que el profesor
Eutimio Martín dejaba en 1988 entre las hojas de una vieja antología dedicada al poeta granadino. Allí, al final de
la página 51, leemos:

Quienes pensaron, en agosto de 1936, haberlo enterrado
para siempre ignoraban que no habían hecho sino sembrar-
lo. Su obra brotó de su tumba con fuerza redoblada y pudo
oírse, con más nitidez que nunca, que prestaba su acento «al
árbol de muñones que no canta», a «los animalitos de cabeza
rota», a todo lo que «tiene cansancio sordomudo». En una
palabra; a «la mariposa ahogada en el tintero».[50]

49. Carlos MORLA LYNCH, *op. cit.*, págs. 543-544.
50. Eutimio MARTÍN, *Antología comentada (I. Poesía)*, Madrid,
Ediciones de la Torre, pág. 51. Los versos citados pertenecen al poema «Vuelta de paseo», primero del libro *Poeta en Nueva York*.

BIBLIOGRAFÍA

ALEIXANDRE, Vicente (1937), «Federico», en *Hora de España*, núm. VII, Valencia, julio de 1937, págs. 43-45.

CANO, José Luis (1974), *García Lorca*, Barcelona, Destino.

CORREA, Gustavo (1975), *La poesía mítica de Federico García Lorca*, Madrid, Gredos.

FERRIS, José Luis (2016), *Miguel Hernández. Pasiones, cárcel y muerte de un poeta*, Sevilla, Fundación José Manuel Lara.

GARCÍA LORCA, Federico (1977), *Obras completas*, Madrid, Aguilar.

— (1994), *Prosa inédita de juventud*, Madrid, Cátedra.

— (1996), *Obras completas*, IV vols., Barcelona, Galaxia Gutenberg-Círculo de Lectores. Edición de Miguel García-Posada.

GARCÍA LORCA, Francisco (1980), *Federico y su mundo*, Madrid, Alianza.

GARCÍA MONTERO, Luis (2011), «Introducción», en Federico García Lorca, *Poema del cante jondo*, Barcelona, Austral.

— (2016), *Un lector llamado Federico García Lorca*, Madrid, Taurus.

GARCÍA-POSADA, Miguel (1989), «Introducción», en Federico García Lorca, *Obras*, II, *Poesía, 2*, Madrid, Akal.

GIBSON, Ian (1985), *Federico García Lorca, 1. De Fuente Vaqueros a Nueva York. 1898-1929*, Barcelona, Grijalbo.

— (1987), *Federico García Lorca, 2. De Nueva York a Fuente Grande. 1929-1936*, Barcelona, Grijalbo.

HERNÁNDEZ, Mario (1982), «Introducción», en Federico García Lorca, *Canciones*, Madrid, Alianza Editorial.

MAURER, Christopher (1994), «Introducción», en Federico García Lorca, *Prosa inédita de juventud*, Madrid, Cátedra.

MARTÍN, Eutimio (1986), *Federico García Lorca, heterodoxo y mártir: análisis y proyección de la obra juvenil inédita*, Madrid, Siglo XXI.

— (1988), «Introducción», en Federico García Lorca, *Antología comentada (I. Poesía)*, Madrid, Ediciones de la Torre.

MATA CABALLERO, Juan (2000), «Federico García Lorca frente a la tradición literaria: voz y eco de san Juan de la Cruz en los *Sonetos del amor oscuro*», *Contextos*, núms. XVII-XVIII / 33-36, 1999-2000, págs. 361-386.

MENARINI, Piero (2011), «Introducción», en Federico García Lorca, *Poeta en Nueva York*, Barcelona, Austral.

MERLO, Pepa (2018), «Introducción», en Federico García Lorca, *Diván del Tamarit*, Madrid, Cátedra.

MORLA LYNCH, Carlos (2008), *En España con Federico García Lorca*, Sevilla, Renacimiento.

RÍO, Ángel del (1952), *Vida y obras de Federico García Lorca*, Zaragoza, Heraldo de Aragón Editorial.

ESTA EDICIÓN

La presente antología pretende ofrecer una visión amplia y lo más representativa posible de la poesía de Federico García Lorca y de su evolución personal en el contexto de la literatura de su tiempo. Lejos de los estereotipos y de los ya superados tópicos que contribuyeron a dar una imagen estrecha, sesgada y populista de su obra, sólo cabe actuar con la honestidad que merece nuestro autor. En este sentido conviene recordar que, superados ciertos problemas textuales (erratas, correcciones a veces no justificadas), las sucesivas ediciones del corpus poético lorquiano han ido ganando en rigor y se ha ampliado el conjunto gracias a la aparición de textos y borradores inéditos que, en el caso de Lorca, parecen no tener fin. Recuérdese la costumbre del poeta de regalar originales sin guardar, en muchos casos, copia de los mismos.

Para la confección de esta antología se ha partido de la edición de *Obras completas* de Federico García Lorca preparada por Miguel García-Posada y recogida en cuatro volúmenes por Galaxia Gutenberg-Círculo de Lectores, Madrid, 1996. Para la introducción se han tenido en cuenta diversos estudios de la obra lorquiana realizados, entre otros, por Mario Hernández, Arturo del Hoyo, Ian

Gibson, Eutimio Martín y Christopher Maurer. En ella se ha pretendido aclimatar la sensibilidad del lector al mundo del poeta, entrecruzando la biografía con la obra, los episodios vitales con el proceso creativo. A partir de ahí, la ordenación del conjunto de libros y poemas seleccionados se ajusta a la cronología de su escritura, no de su publicación, situando al principio de cada uno de los bloques o libros antologados una breve introducción que facilita las claves de lectura y los aspectos más reseñables del conjunto de composiciones que aparece a continuación.

Al final del libro se incluye una *Guía de lectura* dividida en tres partes. La primera es una extensa cronología que recoge y recorre los acontecimientos principales de la vida y de la obra del autor. En *Textos complementarios* se ofrece una selección de testimonios y semblanzas sobre la personalidad y significación del poeta, así como escritos de referencia acerca de algunos de sus libros más destacados. Finalmente, el *Taller de lectura* propone el análisis de varios poemas de Lorca con el propósito de obtener un conocimiento práctico de su poesía y de sus poéticas, de sus etapas y de sus retos.

Si, con todo, esta antología logra despertar el interés de un único y nuevo lector por la obra del gran poeta granadino, habrá merecido la pena todo el esfuerzo empleado.

ANTOLOGÍA POÉTICA

LIBRO DE POEMAS
(1918-1920)

Esta primera obra poética de Lorca, cuya edición príncipe (Madrid, Imprenta Maroto) está fechada en 1921, recoge su producción juvenil, compuesta entre abril de 1918 y diciembre de 1920. Las sesenta y ocho composiciones que conforman el libro no corresponden a la totalidad de piezas escritas por el poeta durante esta etapa formativa, sino que son el fruto de una selección llevada a cabo por el autor en la que ya se perfilan elementos esenciales de la poética lorquiana. Se podría afirmar, pues, que la personalidad de Federico aparece ya definida en muchos de estos poemas, y en especial en «Madrigal», «Encrucijada», «Balada interior» o «Balada de la placeta». Precisamente esta última composición fue publicada en septiembre de 1920, como anticipo de la obra, en un número extraordinario de *La Novela Corta* dedicada a la poesía de esos años.

Hay en *Libro de poemas* una deliciosa combinación de modernismo y folclore, y ecos e influencias de Juan Ramón Jiménez, Rubén Darío y Salvador Rueda. El detalle de fechar cada composición concede a la obra un aire de diario íntimo y un tono adolescente. El poeta emplea el molde de las canciones infantiles (formas breves, condensadas) para expresar precisamente la angustia por la pérdida de la niñez, la conciencia atormentada de una sexualidad diferente y la melancolía de una desilusión amorosa. «Ofrezco en este libro —aclara el autor en el prólogo de la obra—, todo ardor juvenil y tortura, y ambición sin medida, la imagen exacta de mis días de adolescencia y juventud, esos días que enlazan el instante de hoy con mi misma infancia reciente.»[1]

Esta obra primera pasó, sin embargo, inadvertida para críticos y lectores, y apenas recibió una entusiasta reseña de Adolfo Salazar en las páginas de *El Sol* de Madrid (30 de julio de 1921). Pero nada empañaría el amor por ella de Federico, quien en abril de 1933, tratando de consolar al poeta oriolano Miguel Hernández por el escaso eco de *Perito en lunas*, su primer libro, escribía: «Tu libro está en el silencio, como todos los primeros libros, como mi primer libro, que tanto encanto y tanta fuerza tenía. Escribe, lee, estudia. ¡LUCHA! No seas vanidoso de tu obra».[2]

1. FGL, *Obras completas*, I, *op. cit.*, pág. 59.
2. FGL, *Obras completas*, III, *op. cit.*, pág. 1223; también en José Luis FERRIS, *Miguel Hernández. Pasiones, cárcel y muerte de un poeta*, Sevilla, Fundación José Manuel Lara, 2016, pág. 163.

CANCIÓN OTOÑAL

Noviembre de 1918
(Granada)

Hoy siento en el corazón
un vago temblor de estrellas,
pero mi senda se pierde
en el alma de la niebla.
5　La luz me troncha las alas
y el dolor de mi tristeza
va mojando los recuerdos
en la fuente de la idea.

Todas las rosas son blancas,
10　tan blancas como mi pena,
y no son las rosas blancas,
que ha nevado sobre ellas.
Antes tuvieron el iris.
También sobre el alma nieva.
15　La nieve del alma tiene
copos de besos y escenas
que se hundieron en la sombra
o en la luz del que las piensa.

La nieve cae de las rosas,
20   pero la del alma queda,
y la garra de los años
hace un sudario con ellas.

¿Se deshelará la nieve
cuando la muerte nos lleva?
25   ¿O después habrá otra nieve
y otras rosas más perfectas?

¿Será la paz con nosotros
como Cristo nos enseña?
¿O nunca será posible
30   la solución del problema?

¿Y si el Amor nos engaña?
¿Quién la vida nos alienta
si el crepúsculo nos hunde
en la verdadera ciencia
35   del Bien que quizá no exista
y del Mal que late cerca?

¿Si la esperanza se apaga
y la Babel se comienza,
qué antorcha iluminará
40   los caminos en la Tierra?

¿Si el azul es un ensueño,
qué será de la inocencia?
¿Qué será del corazón
si el Amor no tiene flechas?

45   ¿Y si la muerte es la muerte,
qué será de los poetas
y de las cosas dormidas

que ya nadie las recuerda?
¡Oh sol de las esperanzas!
50   ¡Agua clara! ¡Luna nueva!
¡Corazones de los niños!
¡Almas rudas de las piedras!
Hoy siento en el corazón
un vago temblor de estrellas
55   y todas las rosas son
tan blancas como mi pena.

CANCION PRIMAVERAL

28 de marzo de 1919
(Granada)

I
Salen los niños alegres
de la escuela,
poniendo en el aire tibio
del abril, canciones tiernas.
5   ¡Qué alegría tiene el hondo
silencio de la calleja!
Un silencio hecho pedazos
por risas de plata nueva.

II
Voy camino de la tarde
10   entre flores de la huerta,
dejando sobre el camino
el agua de mi tristeza.
En el monte solitario,
un cementerio de aldea
15   parece un campo sembrado
con granos de calaveras.

Y han florecido cipreses
como gigantes cabezas
que con órbitas vacías
20   y verdosas cabelleras,
pensativos y dolientes,
el horizonte contemplan.

¡Abril divino, que vienes
cargado de sol y esencias,
25   llena con nidos de oro
las floridas calaveras!

BALADA TRISTE
Pequeño poema

Abril de 1918
(Granada)

¡Mi corazón es una mariposa,
niños buenos del prado!,
que presa por la araña gris del tiempo
tiene el polen fatal del desengaño.

5   De niño yo canté como vosotros,
niños buenos del prado,
solté mi gavilán con las temibles
cuatro uñas de gato.
Pasé por el jardín de Cartagena
10   la verbena invocando
y perdí la sortija de mi dicha
al pasar el arroyo imaginario.

Fui también caballero
una tarde fresquita de Mayo.

15 Ella era entonces para mí el enigma,
    estrella azul sobre mi pecho intacto.
    Cabalgué lentamente hacia los cielos.
    Era un domingo de pipirigallo.
    Y vi que en vez de rosas y claveles
20 ella tronchaba lirios con sus manos.

    Yo siempre fui intranquilo,
    niños buenos del prado.
    El *ella* del romance me sumía
    en ensoñares claros.
25 ¿Quién será la que coge los claveles
    y las rosas de Mayo?
    ¿Y por qué la verán sólo los niños
    a lomos de Pegaso?
    ¿Será esa misma la que en los rondones
30 con tristeza llamamos
    estrella, suplicándole que salga
    a danzar por el campo...?

    En abril de mi infancia yo cantaba,
    niños buenos del prado,
35 la *ella* impenetrable del romance
    donde sale Pegaso.
    Yo decía en las noches la tristeza
    de mi amor ignorado,
    y la luna lunera, ¡qué sonrisa
40 ponía entre sus labios!
    ¿Quién será la que corta los claveles
    y las rosas de Mayo?
    Y de aquella chiquilla, tan bonita,
    que su madre ha casado,
45 ¿en qué oculto rincón de cementerio
    dormirá su fracaso?

Yo solo con mi amor desconocido,
sin corazón, sin llantos,
hacia el techo imposible de los cielos
con un gran sol por báculo.

¡Qué tristeza tan seria me da sombra!,
niños buenos del prado,
cómo recuerda dulce el corazón
los días ya lejanos…
¿Quién será la que corta los claveles
y las rosas de Mayo?

50

55

MAÑANA

7 de agosto de 1918
(Fuente Vaqueros, Granada)

A Fernando Marchesi

Y la canción del agua
es una cosa eterna.

Es la savia entrañable
que madura los campos.
Es sangre de poetas
que dejaron sus almas
perderse en los senderos
de la naturaleza.

¡Qué armonías derrama
al brotar de la peña!
Se abandona a los hombres
con sus dulces cadencias.

5

10

La mañana está clara.
Los hogares humean
y son los humos brazos
que levantan la niebla.

Escuchad los romances
del agua en las choperas.
¡Son pájaros sin alas
perdidos entre hierbas!

Los árboles que cantan
se tronchan y se secan.
Y se tornan llanuras
las montañas serenas.
Mas la canción del agua
es una cosa eterna.

Ella es luz hecha canto
de ilusiones románticas.
Ella es firme y suave,
llena de cielo y mansa.
Ella es niebla y es rosa
de la eterna mañana.
Miel de luna que fluye
de estrellas enterradas.
¿Qué es el santo bautismo,
sino Dios hecho agua
que nos unge las frentes
con su sangre de gracia?
Por algo Jesucristo
en ella confirmose.
Por algo las estrellas
en sus ondas descansan.
Por algo madre Venus
en su seno engendrose,

que amor de amor tomamos
cuando bebemos agua.
Es el amor que corre
todo manso y divino,
es la vida del mundo,
la historia de su alma.

Ella lleva secretos
de las bocas humanas,
pues todos la besamos
y la sed nos apaga.
Es un arca de besos
de bocas ya cerradas,
es eterna cautiva,
del corazón hermana.

Cristo debió decirnos:
«Confesaos con el agua
de todos los dolores,
de todas las infamias.
¿A quién mejor, hermanos,
entregar nuestras ansias
que a ella que sube al cielo
en envolturas blancas?».

No hay estado perfecto
como al tomar el agua,
nos volvemos más niños
y más buenos: y pasan
nuestras penas vestidas
con rosadas guirnaldas.
Y los ojos se pierden
en regiones doradas.
¡Oh fortuna divina
por ninguno ignorada!

Agua dulce en que tantos
sus espíritus lavan,
no hay nada comparable
80   con tus orillas santas
si una tristeza honda
nos ha dado sus alas.

LA SOMBRA DE MI ALMA

Diciembre de 1919
(Madrid)

La sombra de mi alma
huye por un ocaso de alfabetos,
niebla de libros
y palabras.

5   ¡La sombra de mi alma!

He llegado a la línea donde cesa
la nostalgia,
y la gota de llanto se transforma,
alabastro de espíritu.

10   (¡La sombra de mi alma!)

El copo del dolor
se acaba,
pero queda la razón y la sustancia
de mi viejo mediodía de labios,
15   de mi viejo mediodía
de miradas.

Un turbio laberinto
de estrellas ahumadas

enreda mi ilusión
20 casi marchita.

¡La sombra de mi alma!

Y una alucinación
me ordeña las miradas.
Veo la palabra amor
25 desmoronada.

¡Ruiseñor mío!
¡Ruiseñor!
¿Aún cantas?

SI MIS MANOS PUDIERAN
DESHOJAR

10 de noviembre de 1919
(Granada)

Yo pronuncio tu nombre
en las noches oscuras,
cuando vienen los astros
a beber en la luna
5 y duermen los ramajes
de las frondas ocultas.
Y yo me siento hueco
de pasión y de música.
Loco reloj que canta
10 muertas horas antiguas.

Yo pronuncio tu nombre
en esta noche oscura,
y tu nombre me suena

más lejano que nunca.
15 Más lejano que todas las estrellas
y más doliente que la mansa lluvia.

¿Te querré como entonces
alguna vez? ¿Qué culpa
tiene mi corazón?
20 Si la niebla se esfuma,
¿qué otra pasión me espera?
¿Será tranquila y pura?
¡¡Si mis dedos pudieran
deshojar a la luna!!

EL DIAMANTE

Noviembre de 1920
(Granada)

El diamante de una estrella
ha rayado el hondo cielo.
Pájaro de luz que quiere
escapar del universo
5 y huye del enorme nido
donde estaba prisionero
sin saber que lleva atada
una cadena en el cuello.

Cazadores extrahumanos
10 están cazando luceros,
cisnes de plata maciza
en el agua del silencio.

Los chopos niños recitan
su cartilla; es el maestro

15 un chopo antiguo que mueve
    tranquilo sus brazos muertos.

    Ahora en el monte lejano
    jugarán todos los muertos
    a la baraja. ¡Es tan triste
20 la vida en el cementerio!

    ¡Rana, empieza tu cantar!
    ¡Grillo, sal de tu agujero!
    Haced un bosque sonoro
    con vuestras flautas. Yo vuelo
25 hacia mi casa intranquilo.

    Se agitan en mi cerebro
    dos palomas campesinas
    y en el horizonte, ¡lejos!,
    se hunde el arcaduz del día.
30 ¡Terrible noria del tiempo!

MADRIGAL DE VERANO

Agosto de 1920
(Vega de Zujaira)

Junta tu roja boca con la mía,
¡oh Estrella la gitana!
Bajo el oro solar del mediodía
morderé la Manzana.

5   En el verde olivar de la colina,
    hay una torre mora
    del color de tu carne campesina
    que sabe a miel y aurora.

Me ofreces en tu cuerpo requemado,
10 el divino alimento
que da flores al cauce sosegado
y luceros al viento.

¿Cómo a mí te entregaste, luz morena?
¿Por qué me diste llenos
15 de amor tu sexo de azucena
y el rumor de tus senos?

¿No fue por mi figura entristecida?
(¡Oh mis torpes andares!)
¿Te dio lástima acaso de mi vida,
20 marchita de cantares?

¿Cómo no has preferido a mis lamentos
los muslos sudorosos
de un San Cristóbal campesino, lentos
en el amor y hermosos?

25 Danaide del placer eres conmigo.
Femenino Silvano.
Huelen tus besos como huele el trigo
reseco del verano.

Entúrbiame los ojos con tu canto.
30 Deja tu cabellera
extendida y solemne como un manto
de sombra en la pradera.

Píntame con tu boca ensangrentada
un cielo del amor,
35 en un fondo de carne la morada
Estrella de dolor.

Mi pegaso andaluz está cautivo
de tus ojos abiertos;
volará desolado y pensativo
40 cuando los vea muertos.

Y aunque no me quisieras te querría
por tu mirar sombrío
como quiere la alondra al nuevo día,
sólo por el rocío.

45 Junta tu roja boca con la mía,
¡oh Estrella la gitana!
Déjame bajo el claro mediodía
consumir la Manzana.

ALBA

Abril de 1919
(Granada)

Mi corazón oprimido
siente junto a la alborada
el dolor de sus amores
y el sueño de las distancias.
5 La luz de la aurora lleva
semilleros de nostalgias
y la tristeza sin ojos
de la médula del alma.
La gran tumba de la noche
10 su negro velo levanta
para ocultar con el día
la inmensa cumbre estrellada.

¡Qué haré yo sobre estos campos
cogiendo nidos y ramas,
15 rodeado de la aurora
y llena de noche el alma!
¡Qué haré si tienes tus ojos
muertos a las luces claras
y no ha de sentir mi carne
20 el calor de tus miradas!
¿Por qué te perdí por siempre
en aquella tarde clara?
Hoy mi pecho está reseco
como una estrella apagada.

EL PRESENTIMIENTO

Agosto de 1920
(Vega de Zujaira)

El presentimiento
es la sonda del alma
en el misterio.
Nariz del corazón,
5 palo de ciego
que explora en la tiniebla
del tiempo.

Ayer es lo marchito,
el sentimiento
10 y el campo funeral
del recuerdo.

Anteayer
es lo muerto.
Madriguera de ideas moribundas,

15   de pegasos sin freno.
Malezas de memorias,
y desiertos
perdidos en la niebla
de los sueños.

20   Nada turba los siglos
pasados.
No podemos
arrancar un suspiro
de lo viejo.

25   El pasado se pone
su coraza de hierro,
y tapa sus oídos
con algodón del viento.
Nunca podrá arrancársele
30   un secreto.

Sus músculos de siglos
y su cerebro
de marchitas ideas
en feto
35   no darán el licor que necesita
el corazón sediento.

Pero el niño futuro
nos dirá algún secreto
cuando juegue en su cama
40   de luceros.
Y es fácil engañarle;
por eso,
démosle con dulzura
nuestro seno,
45   que el topo silencioso

del presentimiento
nos traerá sus sonajas
cuando se esté durmiendo.

CANCIÓN PARA LA LUNA

Agosto de 1920

Blanca tortuga,
luna dormida,
¡qué lentamente
caminas!
5   Cerrando un párpado
de sombra, miras
cual arqueológica
pupila.
Que quizá sea…
10   (Satán es tuerto)
una reliquia.
Viva lección
para anarquistas.
Jehová acostumbra
15   sembrar su finca
con ojos muertos
y cabecitas
de sus contrarias
milicias.
20   Gobierna rígido
la Faz divina
con su turbante
de niebla fría,
poniendo dulces
25   astros sin vida
al rubio cuervo

del día.
Por eso, luna,
¡luna dormida!,
30 vas protestando
seca de brisas,
del gran abuso
la tiranía
de ese Jehová
35 que os encamina
por una senda,
¡siempre la misma!
Mientras Él goza
en compañía
40 de Doña Muerte,
que es su querida…

Blanca tortuga,
luna dormida,
casta Verónica
45 del sol que limpias
en el ocaso
su faz rojiza.
Ten esperanza,
muerta pupila,
50 que el gran Lenín
de tu campiña
será la Osa
Mayor, la arisca
fiera del cielo
55 que irá tranquila
a dar su abrazo
de despedida,
al viejo enorme
de los seis días.

60   Y entonces, luna
blanca, vendría
el puro reino
de la ceniza.

(Ya habréis notado
65   que soy nihilista.)

SUEÑO

Mayo de 1919

Mi corazón reposa junto a la fuente fría.

    (Llénala con tus hilos,
    araña del olvido.)

El agua de la fuente su canción le decía.

5   (Llénala con tus hilos,
    araña del olvido.)

Mi corazón despierto sus amores decía.

    (Araña del silencio,
    téjele tu misterio.)

10   El agua de la fuente lo escuchaba sombría.

    (Araña del silencio,
    téjele tu misterio.)

Mi corazón se vuelca sobre la fuente fría.

    (Manos blancas, lejanas,
15   detened a las aguas.)

Y el agua se lo lleva cantando de alegría.

(¡Manos blancas, lejanas,
nada queda en las aguas!)

MADRIGAL

Octubre de 1920
(Madrid)

Mi beso era una granada,
profunda y abierta;
tu boca era rosa
de papel.

5   El fondo un campo de nieve.

Mis manos eran hierros
para los yunques;
tu cuerpo era el ocaso
de una campanada.

10   El fondo un campo de nieve.

En la agujereada
calavera azul
hicieron estalactitas
mis te quiero.

15   El fondo un campo de nieve.

Llenáronse de moho
mis sueños infantiles,

y taladró a la luna
mi dolor salomónico.

20   El fondo un campo de nieve.

Ahora maestro grave
a la alta escuela,
y mi amor y a mis sueños
(caballito sin ojos).

25   Y el fondo es un campo de nieve.

HAY ALMAS QUE TIENEN...

8 de febrero de 1920

Hay almas que tienen
azules luceros,
mañanas marchitas
entre hojas del tiempo,
5   y castos rincones
que guardan un viejo
rumor de nostalgias
y sueños.

Otras almas tienen
10   dolientes espectros
de pasiones. Frutas
con gusanos. Ecos
de una voz quemada
que viene de lejos
15   como una corriente
de sombra. Recuerdos

vacíos de llanto
y migajas de besos.

Mi alma está madura
20 hace mucho tiempo,
y se desmorona
turbia de misterio.
Piedras juveniles
roídas de ensueño
25 caen sobre las aguas
de mis pensamientos.
Cada piedra dice:
«¡Dios está muy lejos!».

BALADA INTERIOR

16 de julio de 1920
(Vega de Zujaira)

A Gabriel

El corazón
que tenía en la escuela
donde estuvo pintada
la cartilla primera,
5 ¿está en ti,
noche negra?

(Frío, frío,
como el agua
del río.)

10 El primer beso
que supo a beso y fue
para mis labios niños

como la lluvia fresca,
¿está en ti,
15 noche negra?

(Frío, frío,
como el agua
del río.)

Mi primer verso.
20 La niña de las trenzas
que miraba de frente,
¿está en ti,
noche negra?

(Frío, frío,
25 como el agua
del río.)

Pero mi corazón
roído de culebras,
el que estuvo colgado
30 del árbol de la ciencia,
¿está en ti,
noche negra?

(Caliente, caliente,
como el agua
35 de la fuente.)

Mi amor errante,
castillo sin firmeza,
de sombras enmohecidas,
¿está en ti,
40 noche negra?

(Caliente, caliente,
como el agua
de la fuente.)

¡Oh gran dolor!
45 Admites en tu cueva
nada más que la sombra.
¿Es cierto,
noche negra?

(Caliente, caliente,
50 como el agua
de la fuente.)

¡Oh corazón perdido!
¡Requiem aeternam!

BALADA DE LA PLACETA

1919

Cantan los niños
en la noche quieta:
¡arroyo claro,
fuente serena!

LOS NIÑOS

5 ¿Qué tiene tu divino
corazón en fiesta?

YO

Un doblar de campanas
perdidas en la niebla.

LOS NIÑOS

Ya nos dejas cantando
en la plazuela.
¡Arroyo claro,
fuente serena!

¿Qué tienes en tus manos
de primavera?

YO

Una rosa de sangre
y una azucena.

LOS NIÑOS

Mójalas en el agua
de la canción añeja.
¡Arroyo claro,
fuente serena!

¿Qué sientes en tu boca
roja y sedienta?

YO

El sabor de los huesos
de mi gran calavera.

LOS NIÑOS

Bebe el agua tranquila
de la canción añeja.

¡Arroyo claro,
fuente serena!

¿Por qué te vas tan lejos
30 de la plazuela?

YO

¡Voy en busca de magos
y de princesas!

LOS NIÑOS

¿Quién te enseñó el camino
de los poetas?

YO

35 La fuente y el arroyo
de la canción añeja.

LOS NIÑOS

¿Te vas lejos, muy lejos
del mar y de la tierra?

YO

Se ha llenado de luces
40 mi corazón de seda,
de campanas perdidas,
de lirios y de abejas.
Y yo me iré muy lejos,
más allá de esas sierras,
45 más allá de los mares,
cerca de las estrellas,

para pedirle a Cristo
Señor que me devuelva
mi alma antigua de niño,
50   madura de leyendas,
con el gorro de plumas
y el sable de madera.

LOS NIÑOS

Ya nos dejas cantando
en la plazuela.
55   ¡Arroyo claro,
fuente serena!

Las pupilas enormes
de las frondas resecas,
heridas por el viento,
60   lloran las hojas muertas.

ENCRUCIJADA

Julio de 1920

¡Oh, qué dolor el tener
versos en la lejanía
de la pasión, y el cerebro
todo manchado de tinta!

5   ¡Oh, qué dolor no tener
la fantástica camisa
del hombre feliz: la piel
—alfombra de sol—, curtida!

(Alrededor de mis ojos
10   bandadas de letras giran.)

¡Oh, qué dolor el dolor
antiguo de la poesía,
este dolor pegajoso
tan lejos del agua limpia!

15   ¡Oh dolor de lamentarse
por sorber la vena lírica!
¡Oh dolor de fuente ciega
y molino sin harina!

¡Oh, qué dolor no tener
20   dolor y pasar la vida
sobre la hierba incolora
de la vereda indecisa!

¡Oh el más profundo dolor,
el dolor de la alegría,
25   reja que nos abre surcos
donde el llanto fructifica!

(Por un monte de papel
asoma la luna fría.)
¡Oh dolor de la verdad!
30   ¡Oh dolor de la mentira!

HORA DE ESTRELLAS

1920

El silencio redondo de la noche
sobre el pentagrama
del infinito.

Yo me salgo desnudo a la calle,
5   maduro de versos
perdidos.
Lo negro, acribillado
por el canto del grillo,
tiene ese fuego fatuo,
10   muerto,
del sonido.
Esa luz musical
que percibe
el espíritu.

15   Los esqueletos de mil mariposas
duermen en mi recinto.

Hay una juventud de brisas locas
sobre el río.

CHOPO MUERTO

1920

¡Chopo viejo!
Has caído
en el espejo
del remanso dormido,
5   abatiendo tu frente
ante el Poniente.
No fue el vendaval ronco
el que rompió tu tronco,
ni fue el hachazo grave
10   del leñador, que sabe
has de volver
a nacer.

Fue tu espíritu fuerte
el que llamó a la muerte,
al hallarse sin nidos, olvidado
de los chopos infantes del prado.
Fue que estabas sediento
de pensamiento,
y tu enorme cabeza centenaria,
solitaria,
escuchaba los lejanos
cantos de tus hermanos.

En tu cuerpo guardabas
las lavas
de tu pasión,
y en tu corazón,
el semen sin futuro de Pegaso.
La terrible simiente
de un amor inocente
por el sol de ocaso.

¡Qué amargura tan honda
para el paisaje,
el héroe de la fronda
sin ramaje!

Ya no serás la cuna
de la luna,
ni la mágica risa
de la brisa,
ni el bastón de un lucero
caballero.
No tornará la primavera
de tu vida,
ni verás la sementera

florecida.
45 Serás nidal de ranas
y de hormigas.
Tendrás por verdes canas
las ortigas,
y un día la corriente
50 sonriente
llevará tu corteza
con tristeza.

¡Chopo viejo!
Has caído
55 en el espejo
del remanso dormido.
Yo te vi descender
en el atardecer
y escribo tu elegía,
60 que es la mía.

CAMPO

1920

El cielo es de ceniza.
Los árboles son blancos,
y son negros carbones
los rastrojos quemados.
5 Tiene sangre reseca
la herida del Ocaso,
y el papel incoloro
del monte está arrugado.
El polvo del camino
10 se esconde en los barrancos.
Están las fuentes turbias

y quietos los remansos.
Suena en un gris rojizo
la esquila del rebaño,
15   y la noria materna
acabó su rosario.

El cielo es de ceniza,
los árboles son blancos.

LA BALADA DEL AGUA DEL MAR

1919

A Emilio Prados, cazador de nubes

El mar
sonríe a lo lejos.
Dientes de espuma,
labios de cielo.

5   —¿Qué vendes, oh joven turbia
con los senos al aire?

—Vendo, señor, el agua
de los mares.

—¿Qué llevas, oh negro joven,
10   mezclado con tu sangre?

—Llevo, señor, el agua
de los mares.

—Esas lágrimas salobres
¿de dónde vienen, madre?

—Lloro, señor, el agua
de los mares.

—Corazón, y esta amargura
seria, ¿de dónde nace?

—¡Amarga mucho el agua
20 de los mares!

El mar
sonríe a lo lejos.
Dientes de espuma,
labios de cielo.

DESEO

1920

Sólo tu corazón caliente,
y nada más.

Mi paraíso un campo
sin ruiseñor
5 ni liras,
con un río discreto
y una fuentecilla.

Sin la espuela del viento
sobre la fronda,
10 ni la estrella que quiere
ser hoja.

Una enorme luz
que fuera

luciérnaga
15 de otra,
en un campo
de miradas rotas.

Un reposo claro
y allí nuestros besos,
20 lunares sonoros
del eco,
se abrirían muy lejos.

Y tu corazón caliente,
nada más.

SUEÑO

Mayo de 1919

Iba yo montado sobre
un macho cabrío.
El abuelo me habló
y me dijo:
5 Ése es tu camino.
¡Es ése!, gritó mi sombra,
disfrazada de mendigo.
¡Es aquél de oro!, dijeron
mis vestidos.
10 Un gran cisne me guiñó,
diciendo: ¡Vente conmigo!
Y una serpiente mordía
mi sayal de peregrino.

Mirando al cielo, pensaba:
15 Yo no tengo camino.

Las rosas del fin serán
como las del principio.
En niebla se convierte
la carne y el rocío.

20   Mi caballo fantástico me lleva
por un campo rojizo.
¡Déjame!, clamó, llorando,
mi corazón pensativo.
Yo lo abandoné en la tierra,
25   lleno de tristeza.
                    Vino
la noche llena de arrugas
y de sombras.

                    Alumbran el camino,
30   los ojos luminosos y azulados
de mi macho cabrío.

OTRO SUEÑO

1919

¡Una golondrina vuela
hacia muy lejos!…

Hay floraciones de rocío
sobre mi sueño,
5   y mi corazón da vueltas
lleno de tedio,
como un tiovivo en que la Muerte
pasea a sus hijuelos.
¡Quisiera en estos árboles

10 atar al tiempo
con un cable de noche negra,
y pintar luego
con mi sangre las riberas
pálidas de mis recuerdos!
15 ¿Cuántos hijos tiene la Muerte?
¡Todos están en mi pecho!

¡Una golondrina viene
de muy lejos!

NIDO

1919

¿Qué es lo que guardo en estos
momentos de tristeza?
¡Ay¡ ¿Quién tala mis bosques
dorados y floridos?
5 ¿Qué leo en el espejo
de plata conmovida
que la aurora me ofrece
sobre el agua del río?
¿Qué gran olmo de idea
10 se ha tronchado en mi bosque?
¿Qué lluvia de silencio
me deja estremecido?
Si a mi amor dejé muerto
en la ribera triste,
15 ¿qué zarzales me ocultan
algo recién nacido?

SUITES
(1920-1923)

Escritas entre finales de 1921 y julio de 1923, las *Suites* constituyen, según la crítica, un laberinto textual y un verdadero rompecabezas para los estudiosos de la obra de Lorca dada su dispersión, el número no cuantificado aún de sus composiciones y el orden de su escritura. El autor murió dejando el material por ordenar, de modo que no apareció en forma de libro hasta octubre de 1983 en una edición «recreada» por André Belamich (Barcelona, Ariel). Lorca había anunciado en varios momentos la próxima aparición del libro. Ya en octubre de 1923 comunicaba a Melchor Fernández Almagro en una carta su deseo de «publicar mis *Suites*, que estoy que *ya no puedo más*».[1] Jorge Guillén lo recordaba el 8 de abril de 1926 en el Ateneo de Valladolid, en la presentación del poeta granadino, al señalar que «en este año publicará (un libro) aún sin título, compuesto de las que él llama "suites"». Sin embargo, debemos creer que el poeta nunca tuvo listo el manuscrito o el corpus final del libro y que dejó esa labor en manos de futuros estudiosos como Belamich o más recientemente Eutimio Martín (*Cielo bajo. Suites*, Madrid, 2017). Se entiende, pues, que, durante décadas, las *Suites* estaban perdidas o diseminadas en manuscritos regalados a amigos (Luis Buñuel, Gerardo Diego, Mathilde Pomés, Manuel Altolaguirre), en copias privadas, en páginas de revistas de la época como *Índice* y *Verso y Prosa* o incluso formando parte de otras ediciones del autor, como la obra editada por Altolaguirre en 1936 con el título de *Primeras canciones*.

1. FGL, *Obras completas*, III, *op. cit.*, pág. 788.

Fueran un conjunto acabado o no, lo cierto es que las *Suites* constituyen un paso decisivo en la formación de Lorca. Es un libro interior, recogido, íntimo, en el que el poeta se enfrenta, desnudo, a las grandes preguntas que le angustian: el tiempo, la muerte, la pérdida del paraíso, lo no creado, lo que pudo ser y no fue. Escribía Lorca junto al poema «En el jardín de las toronjas de luna»:

> Una emoción aguda y elegíaca por las cosas que no han sido, buenas y malas, grandes y pequeñas, invade los parajes de mis ojos casi ocultos por unas gafas de color violeta, una emoción amarga que me hace caminar hacia este jardín que se estremece en las altísimas llanuras del aire.[2]

Formalmente, las *Suites* nos remiten al mundo de la música, a los siglos XVII y XVIII y a una sucesión de danzas escritas todas en la misma tonalidad que la primera. Lorca reconduce esta fórmula a un conjunto de breves canciones líricas en serie, organizadas como variaciones de un motivo central, de ahí que el autor pensara titularlo también *Libro de las diferencias*.

2. FGL, *Obras completas*, I, *op. cit.*, pág. 271.

Suite de los espejos

CONFUSIÓN

Mi corazón
¿es tu corazón?
¿Quién me refleja pensamientos?
¿Quién me presta
5   esta pasión
sin raíces?
¿Por qué cambia mi traje
de colores?
¡Todo es encrucijada!
10   ¿Por qué ves en el cielo
tanta estrella?
¿Hermano, eres tú
o soy yo?
¿Y estas manos tan frías
15   son de aquél?
Me veo por los ocasos,
y un hormiguero de gente
anda por mi corazón.

El jardín de las morenas

ENCUENTRO

María del Reposo,
te vuelvo a encontrar
junto a la fuentefría
del limonar.
5   ¡Viva la rosa en su rosal!

María del Reposo,
te vuelvo a encontrar,
los cabellos de niebla
y ojos de cristal.
10   ¡Viva la rosa en su rosal!

María del Reposo,
te vuelvo a encontrar.
Aquel guante de luna que olvidé,
¿dónde está?
15   ¡Viva la rosa en su rosal!

LIMONAR

Limonar.
Momento
de mi sueño.

Limonar.
5   Nido
de senos
amarillos.

Limonar.
Senos donde maman
10   las brisas del mar.

Limonar.
Naranjal desfallecido,
naranjal moribundo,
naranjal sin sangre.

15   Limonar.
Tú viste mi amor roto
por el hacha de un gesto.

Limonar,
mi amor niño, mi amor
20   sin báculo y sin rosa.

Limonar.

Momentos de canción

SÉSAMO

El reflejo
es lo real.
El río
y el cielo
5   son puertas que nos llevan
a lo Eterno.
Por el cauce de las ranas
o el cauce de los luceros
se irá nuestro amor cantando
10   la mañana del gran vuelo.
Lo real
es el reflejo.

No hay más que un corazón
y un solo viento.
15   ¡No llorar! Da lo mismo
estar cerca
que lejos.
Naturaleza es
el Narciso eterno.

CANCIÓN BAJO LÁGRIMAS

En aquel sitio,
muchachita de la fuente,
que hay junto al río,
te quitaré la rosa
5   que te dio mi amigo,
y en aquel sitio,
muchachita de la fuente,
yo te daré mi lirio.
¿Por qué he llorado tanto?
10   ¡Es todo tan sencillo!…
Esto lo haré, ¿no sabes?,
cuando vuelva a ser niño.
¡Ay! ¡ay!
Cuando vuelva a ser niño.

Canciones bajo la luna

COLORES

Sobre París la luna
tiene color violeta
y se pone amarilla
en las ciudades muertas.

Hay una luna verde
en todas las leyendas,
luna de telaraña
y de rota vidriera.
Y sobre los desiertos
10 es profunda y sangrienta.

Pero la luna blanca,
la luna verdadera,
sólo luce en los quietos
cementerios de aldea.

El regreso

[YO VUELVO]

Yo vuelvo
por mis alas.

¡Dejadme volver!

¡Quiero morirme siendo
5 amanecer!

¡Quiero morirme siendo
ayer!

Yo vuelvo
por mis alas.

10 ¡Dejadme retornar!

Quiero morirme siendo
manantial.

Quiero morirme siendo
de la mar.

Seis canciones de anochecer

MEMENTO
Aire de llano

La luna ya se ha muerto
　　do-re-mi
la vamos a enterrar
　　do-re-fa
5　en una rosa blanca
　　do-re-mi
con tallo de cristal
　　do-re-fa.
Bajó hasta la chopera
10　　　do-re-mi.

Se enredó en el zarzal
　　do-re-fa.
¡Me alegro porque era
　　do-re-mi
15　presumida de más!
　　do-re-fa.
No hubo para ella nunca
　　do-re-mi
marido ni galán
20　　　do-re-fa.
¡Cómo se pondrá el cielo!
　　do-re-mi.
¡Ay cómo se pondrá!
　　do-re-fa

25   cuando llegue la noche
                do-re-mi
        y no la vea en el mar
                do-re-fa.
        ¡Acudid al entierro!
30   do-re-mi
        cantando el pío pa
                do-re-fa.
        Se ha muerto la Mambruna
                do-re-mi
35   de la cara estelar
                do-re-fa.
        ¡Campanas de las torres
                do-re-mi
        doblar que te doblar!
40   do-re-fa.
        Culebras de las fuentes
                do-re-mi
        ¡cantar que te cantar!
                do-re-fa.

Cúco. Cuco. Cucó

CANCIÓN DEL CUCO VIEJO

        En el arca de Noé
        canté.
        Y en la fronda
        de Matusalén.

5   Noé era un hombre bueno.
        A Matusalén
        le llegaba la barba
        a los pies.

Lanzo mis silbidos
10 al cielo. Logré
que cayeran vacíos
otra vez.

Sobre la noche canto.
Cantaré
15 aunque estéis dormidos.
Cantaré
con todos los siglos
de los siglos. Amén.

Caracol

BALADA DEL CARACOL BLANCO

Caracoles blancos.
Los niños juegan
bajo los álamos.
El río viejecito
5 va muy despacio
sentándose en las sillas
verdes de los remansos.
Mi niño, ¿dónde está?
Quiere ser un caballo
10 ¡tilín! ¡tilín! ¡tilín! Mi niño
¡qué loquillo! cantando
quiere salirse
de mi corazón cerrado.

Caracolitos chicos.
15 Caracoles blancos.

CANCIÓN DEL MUCHACHO
DE SIETE CORAZONES

Siete corazones
tengo.
Pero el mío no lo encuentro.

En el alto monte, madre,
5   tropezábamos yo y el viento.
Siete niñas de largas manos
me llevaron en sus espejos.

He cantado por el mundo
con mi boca de siete pétalos.
10 Mis galeras de amaranto
iban sin jarcias y sin remos.

He vivido los paisajes
de otras gentes. Mis secretos
alrededor de la garganta,
15 ¡sin darme cuenta!, iban abiertos.

En el alto monte, madre
(mi corazón sobre los ecos,
dentro del álbum de una estrella),
tropezábamos yo y el viento.

20 Siete corazones
tengo.
¡Pero el mío no lo encuentro!

Países

NIEVE

Campo sin caminos
y ciudad sin tejados.
El mundo está silencioso
y cándido.

5   Paloma gigantesca
de los astros,
¿cómo no baja del azul
el eterno milano?

MUNDO

Ángulo eterno,
la tierra y el cielo.
Con bisectriz de viento.

Ángulo inmenso,
5   el camino derecho.
Con bisectriz de deseo.

Las paralelas se encuentran
en el beso.
¡Oh corazón
10   sin eco!
En ti empieza y acaba
el universo.

Rueda de fortuna

ABANICO

El zodíaco
de la suerte
se abre en el abanico
rojo, amarillo y verde.

5   En la selva de los números
la niña se pierde
con los ojos cerrados.
¿El cuatro? ¿El cinco? ¿El siete?

Cada número guarda
10   pájaro o serpiente.
«Sí», dice el cuatro.
«No», dice el veinte.

El dedo de la niña
sobre el cielo de la suerte
15   pone la estrella de
más rico presente.

[Epitafio a un pájaro]

[...]
y sus ojos tuvieron
profundidad de siglos
mientras se le irisaba
5   la gran perla del pico.
Adiós, pájaro verde.
Ya estarás en el Limbo.
Visita de mi parte

a mi hermano Luisillo
10   en la pradera con los mamoncillos.
¡Adiós, pájaro verde,
tan grande y tan chico!
¡Admirable quimera
del limón y el narciso!

POEMA DEL CANTE JONDO
(1921-1925)

El libro fue escrito en noviembre de 1921. Contraviniendo la costumbre de concebir poemas a lo largo de un periodo significativo de tiempo (generalmente de años) y de hacer acopio de ellos en un conjunto unitario, *Poema del cante jondo* responde a la necesidad de llevar a la práctica el entusiasmo que por esas fechas había despertado en Lorca el descubrimiento, dentro del universo flamenco, de un arte ancestral. La obra quedaría insertada en el contexto de los preparativos del Primer Concurso de Cante Jondo que se celebró en Granada en junio de 1922. Federico acabó el poemario en el tiempo previsto. El 19 de febrero de 1922, en el Centro Artístico de Granada, dictó la conferencia «El cante jondo. Primitivo canto andaluz»,[1] a modo de manifiesto de su propia poética. El 7 de junio de ese año daba a conocer el libro en una lectura realizada en el Hotel Palace de Granada, dentro de los actos programados para el citado Concurso de Cante Jondo. Sin embargo, la obra no sería publicada hasta 1931 (Madrid, Ediciones Ulises / Compañía Iberoamericana de Publicaciones).

La amistad con Manuel de Falla y con el pintor Ignacio Zuloaga le permitió conocer en profundidad el arte jondo, el más antiguo canto andaluz del que bebieron los gitanos y del que nació la *siguiriya* como modalidad principal. De este acerca-

1. El texto de esta conferencia, ya con el título definitivo de «Importancia histórica y artística del primitivo canto andaluz llamado cante jondo», sería revisado años después por el autor y leído en Argentina, Uruguay y varias ciudades españolas.

miento surgió el germen de toda la poesía lorquiana y los elementos principales que la sostienen: el misterio, la noche, las ansias frustradas, la sorpresa, la mística de la muerte…

En este libro, García Lorca se considera heredero de una sabiduría de origen antiquísimo, se encuentra con las verdades naturales de la vida y de la muerte, y se identifica con una conciencia trágica —la suya y la de Andalucía— que se encarna en la figura de la Pena. Sin embargo, el *yo* del poeta desaparece en la obra, se disuelve en unos poemas (breves, secos, sonoros) que se limitan a interpretar un mundo ajeno al de su propia intimidad: el mundo gitano. El autor es aquí un simple mediador —un «médium»— entre el dolor y la historia milenaria de un pueblo.

Poema del cante jondo se divide en once secciones y supera el medio centenar de poemas, pero lo que interesa es su concepción como retablo de un mundo externo en el que el poeta abandona toda forma directa de confesión sentimental y se identifica de un modo expresivo con símbolos y personajes exteriores.

Baladilla de los tres ríos

A Salvador Quintero

El río Guadalquivir
va entre naranjos y olivos.
Los dos ríos de Granada
bajan de la nieve al trigo.

5   *¡Ay, amor*
       que se fue y no vino!

El río Guadalquivir
tiene las barbas granates.
Los dos ríos de Granada
10   uno llanto y otro sangre.

       ¡Ay, amor
       que se fue por el aire!

Para los barcos de vela,
Sevilla tiene un camino;
15   por el agua de Granada
sólo reman los suspiros.

¡Ay, amor
que se fue y no vino!

Guadalquivir, alta torre
20 y viento en los naranjales.
Dauro y Genil, torrecillas
muertas sobre los estanques.

¡Ay, amor
que se fue por el aire!

25 ¡Quién dirá que el agua lleva
un fuego fatuo de gritos!

¡Ay, amor
que se fue y no vino!

Lleva azahar, lleva olivas,
30 Andalucía, a tus mares.

¡Ay, amor
que se fue por el aire!

Poema de la siguiriya gitana

LA GUITARRA

Empieza el llanto
de la guitarra.
Se rompen las copas
de la madrugada.
5 Empieza el llanto
de la guitarra.
Es inútil callarla.

Es imposible
callarla.
10 Llora monótona
como llora el agua,
como llora el viento
sobre la nevada.
Es imposible
15 callarla.
Llora por cosas
lejanas.
Arena del Sur caliente
que pide camelias blancas.
20 Llora flecha sin blanco,
la tarde sin mañana,
y el primer pájaro muerto
sobre la rama.
¡Oh guitarra!
25 Corazón malherido
por cinco espadas

EL SILENCIO

Oye, hijo mío, el silencio.
Es un silencio ondulado,
un silencio,
donde resbalan valles y ecos
5 y que inclina las frentes
hacia el suelo.

EL PASO DE LA SIGUIRIYA

Entre mariposas negras,
va una muchacha morena

141

junto a una blanca serpiente
de niebla.

5 *Tierra de luz,*
cielo de tierra.

Va encadenada al temblor
de un ritmo que nunca llega;
tiene el corazón de plata
10 y un puñal en la diestra.

¿Adónde vas, siguiriya,
con un ritmo sin cabeza?
¿Qué luna recogerá
tu dolor de cal y adelfa?

15 *Tierra de luz,*
cielo de tierra.

Poema de la soleá

PUEBLO

Sobre el monte pelado
un calvario.
Agua clara
y olivos centenarios.
5 Por las callejas
hombres embozados,
y en las torres
veletas girando.
Eternamente
10 girando.
¡Oh, pueblo perdido,
en la Andalucía del llanto!

PUÑAL

El puñal
entra en el corazón,
como la reja del arado
en el yermo.

5   *No.*
No me lo claves.
       No.

El puñal,
como un rayo de sol,
incendia las terribles
hondonadas.

       No.
No me lo claves.
       No.

¡AY!

El grito deja en el viento
una sombra de ciprés.

(Dejadme en este campo
llorando.)

5   Todo se ha roto en el mundo.
No queda más que el silencio.

(Dejadme en este campo
llorando.)

El horizonte sin luz
10 está mordido de hogueras.

(Ya os he dicho que me dejéis
en este campo
llorando.)

SORPRESA

Muerto se quedó en la calle
con un puñal en el pecho.
No lo conocía nadie.
¡Cómo temblaba el farol!
5   Madre.
¡Cómo temblaba el farolito
de la calle!
Era madrugada. Nadie
pudo asomarse a sus ojos
10 abiertos al duro aire.
Que muerto se quedó en la calle
que con un puñal en el pecho
y que no lo conocía nadie.

LA SOLEÁ

Vestida con mantos negros
piensa que el mundo es chiquito
y el corazón es inmenso.

Vestida con mantos negros.

5   Piensa que el suspiro tierno
y el grito desaparecen
en la corriente del viento.

Vestida con mantos negros.

Se dejó el balcón abierto
10   y al alba por el balcón
desembocó todo el cielo.

¡Ay yayayayay,
que vestida con mantos negros!

Poema de la saeta

PASO

Virgen con miriñaque,
virgen de la Soledad,
abierta como un inmenso
tulipán.
5   En tu barco de luces
vas
por la alta marea
de la ciudad,
entre saetas turbias
10   y estrellas de cristal.
Virgen con miriñaque,
tú vas
por el río de la calle,
¡hasta el mar!

MADRUGADA

Pero como el amor
los saeteros
están ciegos.

Sobre la noche verde,
5   las saetas,
dejan rastros de lirio
caliente.

La quilla de la luna
rompe nubes moradas
10   y las aljabas
se llenan de rocío.

¡Ay, pero como el amor
los saeteros
están ciegos!

Gráfico de la petenera

CAMINO

Cien jinetes enlutados,
¿dónde irán,
por el cielo yacente
del naranjal?
5   Ni a Córdoba ni a Sevilla
llegarán.
Ni a Granada la que suspira
por el mar.
Esos caballos soñolientos
10   los llevarán,
al laberinto de las cruces
donde tiembla el cantar.
Con siete ayes clavados,
¿dónde irán,
15   los cien jinetes andaluces
del naranjal?

MUERTE DE LA PETENERA

En la casa blanca muere
la perdición de los hombres.

Cien jacas caracolean.
Sus jinetes están muertos.

5   Bajo las estremecidas
estrellas de los velones,
su falda de moaré tiembla
entre sus muslos de cobre.

Cien jacas caracolean.
10   *Sus jinetes están muertos.*

Largas sombras afiladas
vienen del turbio horizonte,
y el bordón de una guitarra
se rompe.

15   *Cien jacas caracolean.*
Sus jinetes están muertos.

«DE PROFUNDIS»

Los cien enamorados
duermen para siempre
bajo la tierra seca.
Andalucía tiene
5   largos caminos rojos.
Córdoba, olivos verdes
donde poner cien cruces,

que los recuerden.
Los cien enamorados
10   duermen para siempre.

Viñetas flamencas

CAFÉ CANTANTE

Lámparas de cristal
y espejos verdes.

Sobre el tablado oscuro,
la Parrala sostiene
5   una conversación
con la muerte.
La llama
no viene,
y la vuelve a llamar.
10   Las gentes
aspiran los sollozos.
Y en los espejos verdes,
largas colas de seda
se mueven.

LAMENTACIONES DE LA MUERTE

A Miguel Benítez

Sobre el cielo negro,
culebrinas amarillas.

Vine a este mundo con ojos
y me voy sin ellos.

148

¡Señor del mayor dolor!
Y luego,
un velón y una manta
en el suelo.

Quise llegar adonde
10   llegaron los buenos.
¡Y he llegado, Dios mío!…
Pero luego,
un velón y una manta
en el suelo.

15   Limoncito amarillo,
limonero.
Echad los limoncitos
al viento.
¡Ya lo sabéis!… Porque luego,
20   luego,
un velón y una manta
en el suelo.

Sobre el cielo negro,
culebrinas amarillas.

MEMENTO

Cuando yo me muera,
enterradme con mi guitarra
bajo la arena.

Cuando yo me muera,
5   entre los naranjos
y la hierbabuena.

Cuando yo me muera,
Enterradme, si queréis,
en una veleta.

10   ¡Cuando yo me muera!

Tres ciudades

MALAGUEÑA

La muerte
entra y sale
de la taberna.

Pasan caballos negros
5   y gente siniestra
por los hondos caminos
de la guitarra.

Y hay un olor a sal
y a sangre de hembra,
10   en los nardos febriles
de la marina.

La muerte
entra y sale
y sale y entra
15   la muerte
de la taberna.

BARRIO DE CÓRDOBA
Tópico nocturno

En la casa se defienden
de las estrellas.
La noche se derrumba.
Dentro hay una niña muerta
5   con una rosa encarnada
oculta en la cabellera.
Seis ruiseñores la lloran
en la reja.

Las gentes van suspirando
10   con las guitarras abiertas.

Seis caprichos

ADIVINANZA DE LA GUITARRA

En la redonda
encrucijada,
seis doncellas
bailan.
5   Tres de carne
y tres de plata.
Los sueños de ayer las buscan,
pero las tiene abrazadas
un Polifemo de oro.
10   ¡La guitarra!

Escena del teniente coronel
de la Guardia Civil

CANCIÓN DEL GITANO APALEADO

Veinticuatro bofetadas.
Veinticinco bofetadas;
después, mi madre, a la noche,
me pondrá en papel de plata.

5   Guardia civil caminera,
dadme unos sorbitos de agua.
Agua con peces y barcos.
Agua, agua, agua, agua.

¡Ay, mandor de los civiles
10   que estás arriba en tu sala!
¡No habrá pañuelos de seda
para limpiarme la cara!

5 de julio de 1925

Diálogo del Amargo

CANCIÓN DE LA MADRE DEL AMARGO

Lo llevan puesto en mi sábana,
mis adelfas y mi palma.

Día veintisiete de agosto
con un cuchillito de oro.

5   La cruz. ¡Y vamos andando!
Era moreno y amargo.

Vecinas, dadme una jarra
de azófar con limonada.

La cruz. No llorad ninguna.
10   El Amargo está en la luna.

9 de julio de 1925

CANCIONES
(1921-1924)

De 1921 datan los primeros poemas del libro, que se da por concluido en su conjunto a finales de 1924. Verá la luz en Málaga en 1927, en los talleres de la revista *Litoral* dirigida por Emilio Prados.

La obra consta de noventa composiciones y está dividida, como *Poema del cante jondo*, en once secciones. Llama la atención el poderoso dominio del verso corto y el gran sentido musical del autor. Tras la atmósfera infantil y sencilla, sobria e intensa del libro hay una admirable recuperación de la poesía de cancionero, de las estructuras paralelísticas del folclore español, oposiciones elementales —sol/luna, nieve/trigo, blanco/negro, tierra/cielo, silencio/grito, vida/muerte, luz/sombra—, juegos fonéticos, construcciones en espejo, reiteraciones, onomatopeyas y una gracia rítmica que llena el libro de tintineos y de música de principio a fin. Se trata, pues, de un libro esencialmente oral que nos recuerda el papel de juglar del poeta y que refleja, como señala Guillermo Díaz-Plaja, dos zonas fundamentales del espíritu de Lorca: la musical y la infantil. «En García Lorca, como en Lope de Vega, hay siempre un poeta-niño, cuya frescura estriba no solamente en la manera ingenua y sencilla de decir, sino también en la visión de un mundo primario, análogo al de los cuentos.»[1]

1. Miguel GARCÍA-POSADA, «Introducción», en FGL, *Obras*, II, *Poesía, 2*, Madrid, Akal, 1989, pág. 96.

TIOVIVO

A José Bergamín

Los días de fiesta
van sobre ruedas.
El tiovivo los trae,
y los lleva.

5   Corpus azul.
Blanca Nochebuena.

Los días abandonan
su piel, como las culebras,
con la sola excepción
10   de los días de fiesta.

Éstos son los mismos
de nuestras madres viejas.
Sus tardes son largas colas
de moaré y lentejuelas.

15   Corpus azul.
Blanca Nochebuena.

El tiovivo gira
colgado de una estrella.
Tulipán de las cinco
20 partes de la tierra.

Sobre caballitos
disfrazados de panteras
los niños se comen la luna
como si fuera una cereza.

25 ¡Rabia, rabia, Marco Polo!
Sobre una fantástica rueda,
los niños ven lontananzas
desconocidas de la tierra.

Corpus azul.
30 Blanca Nochebuena.

BALANZA

La noche quieta siempre.
El día va y viene.

La noche muerta y alta.
El día con un ala.

5 La noche sobre espejos
y el día bajo el viento.

CAZADOR

¡Alto pinar!
Cuatro palomas por el aire van.

Cuatro palomas
vuelan y tornan.
5   Llevan heridas
sus cuatro sombras.

¡Bajo pinar!
Cuatro palomas en la tierra están.

NOCTURNOS DE LA VENTANA

A la memoria de José Ciria
y Escalante. Poeta

1

Alta va la luna.
Bajo corre el viento.

(Mis largas miradas
exploran el cielo.)

5   Luna sobre el agua.
Luna bajo el viento.

(Mis cortas miradas
exploran el suelo.)

Las voces de dos niñas
10 venían. Sin esfuerzo,
de la luna del agua,
me fui a la del cielo.

2

Un brazo de la noche
entra por mi ventana.

Un gran brazo moreno
con pulseras de agua.

5   Sobre un cristal azul
jugaba al río mi alma.

Los instantes heridos
por el reloj pasaban.

3

Asomo la cabeza
por mi ventana, y veo
cómo quiere cortarla
la cuchilla del viento.

5   En esta guillotina
invisible, yo he puesto
la cabeza sin ojos
de todos mis deseos.

Y un olor de limón
10 llenó el instante inmenso,
mientras se convertía
en flor de gasa el viento.

4

Al estanque se le ha muerto
hoy una niña de agua.
Está fuera del estanque,
sobre el suelo amortajada.

⁵ De la cabeza a sus muslos
un pez la cruza, llamándola.
El viento le dice «niña»,
mas no puede despertarla.

El estanque tiene suelta
10 su cabellera de algas
y al aire sus grises tetas
estremecidas de ranas,

Dios te salve, rezaremos
a Nuestra Señora de Agua
15 por la niña del estanque
muerta bajo las manzanas.

Yo luego pondré a su lado
dos pequeñas calabazas
para que se tenga a flote,
20 ¡ay!, sobre la mar salada.

Residencia de Estudiantes. 1923.

CANCIÓN CHINA EN EUROPA

A mi ahijada Isabel Clara

La señorita
del abanico
va por el puente
del fresco río.

5 Los caballeros
con sus levitas

163

miran el puente
sin barandillas.

La señorita
10   del abanico
y los volantes
busca marido.

Los caballeros
están casados
15   con altas rubias
de idioma blanco.

Los grillos cantan
por el Oeste.

(La señorita
20   va por lo verde.)

Los grillos cantan
bajo las flores.

(Los caballeros
van por el Norte.)

[EL LAGARTO ESTÁ LLORANDO]

A mademoiselle Teresita Guillén
tocando su piano de seis notas

El lagarto está llorando.
La lagarta está llorando.

El lagarto y la lagarta
con delantaritos blancos.

5   Han perdido sin querer
    su anillo de desposados.

    ¡Ay, su anillito de plomo,
    ay, su anillito plomado!

    Un cielo grande y sin gente
10 monta en su globo a los pájaros.

    El sol, capitán redondo,
    lleva un chaleco de raso.

    ¡Miradlos qué viejos son!
    ¡Qué viejos son los lagartos!

15 ¡Ay cómo lloran y lloran,
    ¡ay!, ¡ay!, ¡cómo están llorando!

CANCIÓN DE JINETE
1860

    En la luna negra
    de los bandoleros,
    cantan las espuelas.

    Caballito negro.
5   ¿Dónde llevas tu jinete muerto?

    …Las duras espuelas
    del bandido inmóvil
    que perdió las riendas.

    Caballito frío.
10 ¡Qué perfume de flor de cuchillo!

En la luna negra,
sangraba el costado
de Sierra Morena.

Caballito negro.
15 ¿Dónde llevas tu jinete muerto?

La noche espolea
sus negros ijares
clavándose estrellas.

Caballito frío.
20 ¡Qué perfume de flor de cuchillo!

En la luna negra,
¡un grito! y el cuerno
largo de la hoguera.

Caballito negro.
25 ¿Dónde llevas tu jinete muerto?

ADELINA DE PASEO

La mar no tiene naranjas,
ni Sevilla tiene amor.
Morena, qué luz de fuego.
Préstame tu quitasol.

5 Me pondrá la cara verde
—zumo de lima y limón—.
Tus palabras —pececillos—
nadarán alrededor.

La mar no tiene naranjas.
10   Ay, amor.
¡Ni Sevilla tiene amor!

[MI NIÑA SE FUE A LA MAR]

Mi niña se fue a la mar,
a contar olas y chinas,
pero se encontró, de pronto,
con el río de Sevilla.

5   Entre adelfas y campanas
cinco barcos se mecían,
con los remos en el agua
y las velas en la brisa.

¿Quién mira dentro la torre
10   enjaezada, de Sevilla?
Cinco voces contestaban
redondas como sortijas.

El cielo monta gallardo
al río, de orilla a orilla.
15   En el aire sonrosado,
cinco anillos se mecían.

CANCIÓN DE JINETE

Córdoba.
Lejana y sola.

Jaca negra, luna grande,
y aceitunas en mi alforja.

5   Aunque sepa los caminos
     yo nunca llegaré a Córdoba.

     Por el llano, por el viento,
     jaca negra, luna roja.
     La muerte me está mirando
10   desde las torres de Córdoba.

     ¡Ay qué camino tan largo!
     ¡Ay mi jaca valerosa!
     ¡Ay que la muerte me espera
     antes de llegar a Córdoba!

15   Córdoba.
     Lejana y sola.

                ES VERDAD

     ¡Ay, qué trabajo me cuesta
     quererte como te quiero!

     Por tu amor me duele el aire,
     el corazón
5   y el sombrero.

     ¿Quién me compraría a mí
     este cintillo que tengo
     y esta tristeza de hilo
     blanco, para hacer pañuelos?

10   ¡Ay, qué trabajo me cuesta
     quererte como te quiero!

[ARBOLÉ ARBOLÉ]

Arbolé arbolé
seco y verdé.

La niña de bello rostro
está cogiendo aceituna.
5   El viento, galán de torres,
la prende por la cintura.

Pasaron cuatro jinetes
sobre jacas andaluzas,
con trajes de azul y verde,
10   con largas capas oscuras.

«Vente a Córdoba, muchacha.»
La niña no los escucha.

Pasaron tres torerillos
delgaditos de cintura,
15   con trajes color naranja
y espadas de plata antigua.

«Vente a Sevilla, muchacha.»
La niña no los escucha.

Cuando la tarde se puso
20   morada, con luz difusa,
pasó un joven que llevaba
rosas y mirtos de luna.

«Vente a Granada, muchacha.»
Y la niña no lo escucha.

25   La niña del bello rostro
sigue cogiendo aceituna,

con el brazo gris del viento
ceñido por la cintura.

Arbolé arbolé
30 seco y verdé.

VERLAINE

La canción,
que nunca diré,
se ha dormido en mis labios.
La canción,
5   que nunca diré.

Sobre las madreselvas
había una luciérnaga,
y la luna picaba
con un rayo en el agua.

10 Entonces yo soñé,
la canción,
que nunca diré.

Canción llena de labios
y de cauces lejanos.

15 Canción llena de horas
perdidas en la sombra.

Canción de estrella viva
sobre un perpetuo día.

RIBEREÑAS
(Con acompañamiento de campanas)

Dicen que tienes cara
(balalín)
de luna llena.
(balalán)
5   Cuántas campanas ¿oyes?
(balalín)
No me dejan.
(¡balalán!)
Pero tus ojos… ¡Ah!
10   (balalín)
… perdona, tus ojeras…
(balalán)
y esa rosa de oro
(balalín)
15   y esa… no puedo, esa…
(balalán.)

Su duro miriñaque
las campanas golpean.
¡Oh, tu encanto secreto!…, tu…
20   (balalín
lín
lín
lín…)

Dispensa.

A IRENE GARCÍA
Criada

En el soto,
los alamillos bailan

uno con otro.
Y el arbolé,
5 con sus cuatro hojitas,
baila también.

¡Irene!
Luego vendrán las lluvias
y las nieves.
10 Baila sobre lo verde.

Sobre lo verde, verde,
que te acompaño yo.

¡Ay cómo corre el agua!
¡Ay mi corazón!

15 En el soto,
los alamillos bailan
uno con otro.
Y el arbolé,
con sus cuatro hojitas,
20 baila también.

CANCIÓN DEL MARIQUITA

El mariquita se peina
con su peinador de seda.

Los vecinos se sonríen
en sus ventanas postreras.

5 El mariquita organiza
los bucles de su cabeza.

Por los patios gritan loros,
surtidores y planetas.

El mariquita se adorna
con un jazmín sinvergüenza.

La tarde se pone extraña
de peines y enredaderas.

El escándalo temblaba
rayado como una cebra.

¡Los mariquitas del Sur
cantan en las azoteas!

MURIÓ AL AMANECER

Noche de cuatro lunas
y un solo árbol,
con una sola sombra
y un solo pájaro.

Busco en mi carne las
huellas de tus labios.
El manantial besa al viento
sin tocarlo.

Llevo el No que me diste,
en la palma de la mano,
como un limón de cera
casi blanco.

Noche de cuatro lunas
y un solo árbol.

15   En la punta de una aguja
está mi amor ¡girando!

PRIMER ANIVERSARIO

La niña va por mi frente.
¡Oh, qué antiguo sentimiento!

¿De qué me sirve, pregunto,
la tinta, el papel y el verso?

5   Carne tuya me parece,
rojo lirio, junco fresco.

Morena de luna llena.
¿Qué quieres de mi deseo?

LUCÍA MARTÍNEZ

Lucía Martínez.
Umbría de seda roja.

Tus muslos como la tarde
van de la luz a la sombra.
5   Los azabaches recónditos
oscurecen tus magnolias.

Aquí estoy, Lucía Martínez.
Vengo a consumir tu boca
y a arrastrarte del cabello
10   en madrugada de conchas.

Porque quiero, y porque puedo.
Umbría de seda roja.

LA SOLTERA EN MISA

Bajo el Moisés del incienso,
adormecida.

Ojos de toro te miraban.
Tu rosario llovía.

5   Con ese traje de profunda seda,
no te muevas, Virginia.

Da los negros melones de tus pechos
al rumor de la misa.

SERENATA
Homenaje a Lope de Vega

Por las orillas del río
se está la noche mojando
y en los pechos de Lolita
se mueren de amor los ramos.

5   Se mueren de amor los ramos.

La noche canta desnuda
sobre los puentes de Marzo.
Lolita lava su cuerpo
con agua salobre y nardos.

10   Se mueren de amor los ramos.

La noche de anís y plata
relumbra por los tejados.

Plata de arroyos y espejos.
Anís de tus muslos blancos.

15   Se mueren de amor los ramos.

DESPEDIDA

Si muero,
dejad el balcón abierto.

El niño come naranjas.
(Desde mi balcón lo veo.)

5   El segador siega el trigo.
(Desde mi balcón lo siento.)

¡Si muero,
dejad el balcón abierto!

SUICIDIO

Quizá fue por no saberte la Geometría

El jovencillo se olvidaba.
Eran las diez de la mañana.

Su corazón se iba llenando
de alas rotas y flores de trapo.

5   Notó que ya no le quedaba
en la boca más que una palabra.

Y al quitarse los guantes, caía,
de sus manos, suave ceniza.

Por el balcón se veía una torre.
10   Él se sintió balcón y torre.

Vio, sin duda, cómo le miraba
el reloj detenido en su caja.

Vio su sombra tendida y quieta
en el blanco diván de seda.

15   Y el joven rígido, geométrico,
con un hacha rompió el espejo.

Al romperlo, un gran chorro de sombra
inundó la quimérica alcoba.

CANCIONCILLA
DEL PRIMER DESEO

En la mañana verde,
quería ser corazón.
Corazón.

Y en la tarde madura
5   quería ser ruiseñor.
Ruiseñor.

(Alma,
ponte color de naranja.
Alma,
10   ponte color de amor.)

En la mañana viva,
yo quería ser yo.
Corazón.

Y en la tarde caída
15 quería ser mi voz.
Ruiseñor.

¡Alma,
ponte color naranja!
¡Alma,
20 ponte color de amor!

EN EL INSTITUTO
Y EN LA UNIVERSIDAD

La primera vez
no te conocí.
La segunda, sí.

Dime
5 si el aire te lo dice.

Mañanita fría
yo me puse triste,
y luego me entraron
ganas de reírme.

10 No te conocí.
Sí me conociste.
Sí te conocí.
No me conociste.

Ahora entre los dos
15 se alarga impasible,
un mes, como un
biombo de días grises.

La primera vez
no te conocí.
20 La segunda, sí.

[NARCISO]

Narciso.
Tu olor.
Y el fondo del río.

Quiero quedarme a tu vera.
5 Flor del amor.
Narciso.

Por tus blancos ojos cruzan
ondas y peces dormidos.
Pájaros y mariposas
10 japonizan en los míos.

Tú diminuto y yo grande.
Flor del amor.
Narciso.

Las ranas, ¡qué listas son!
15 Pero no dejan tranquilo
el espejo en que se miran
tu delirio y mi delirio.

Narciso.
Mi dolor.
20   Y mi dolor mismo.

PRELUDIO

Las alamedas se van,
pero dejan su reflejo.

Las alamedas se van,
pero nos dejan el viento.

5   El viento está amortajado
a lo largo bajo el cielo.

Pero ha dejado flotando,
sobre los ríos, sus ecos.

El mundo de las luciérnagas
10   ha invadido mis recuerdos.

Y un corazón diminuto
me va brotando en los dedos.

[SOBRE EL CIELO VERDE]

Sobre el cielo verde,
un lucero verde,
¿qué ha de hacer, amor,
¡ay! sino perderse?

5   Las torres fundidas
con la niebla fría,

¿cómo han de mirarnos
con sus ventanitas?

Cien luceros verdes
10   sobre un cielo verde
no ven a cien torres
blancas, en la nieve.

Y esta angustia mía
para hacerla viva,
15   he de decorarla
con rojas sonrisas.

CANCIÓN DEL DÍA QUE SE VA

¡Qué trabajo me cuesta
dejarte marchar, día!
Te vas lleno de mí,
vuelves sin conocerme.
5   ¡Qué trabajo me cuesta
dejar sobre tu pecho
posibles realidades
de imposibles minutos!

En la tarde, un Perseo
10   te lima las cadenas,
y huyes sobre los montes
hiriéndote los pies.
No pueden seducirte
mi carne ni mi llanto,
15   ni los ríos en donde
duermes tu siesta de oro.

181

Desde Oriente a Occidente
llevo tu luz redonda.
Tu gran luz que sostiene
mi alma, en tensión aguda.
Desde Oriente a Occidente,
¡qué trabajo me cuesta
llevarte con tus pájaros
y tus brazos de viento!

ROMANCERO GITANO
(1924-1928)

Entre 1924 y 1927 se fragua este libro de romances que supuso la consagración de García Lorca. Diez de los dieciocho poemas que lo componen se publicaron individualmente algunos años antes de la aparición impresa de la obra en julio de 1928, en Madrid, con el prestigioso sello editorial de *Revista de Occidente* y con el título, en la portadilla interior, de *Primer romancero gitano*. Algunos de los romances del libro ya corrían de boca en boca antes de que la publicación se convirtiera en un clamoroso éxito y de que Pedro Salinas llegara a calificarla como «el libro de poesía más sonado, más triunfal, del siglo XX».

De poco sirvió que el poeta granadino derrochara palabras y esfuerzo en desactivar una interpretación frívola, folclórica y superficial de su nueva obra. Sucedió con algunos amigos y compañeros de generación que vieron en *Romancero gitano* un alarde de costumbrismo vulgar, trasnochado y populachero. Tampoco lo logró con la imagen de «poeta-gitano» que tanto disgustaba a Lorca, por mucho que los gitanos, en el contexto de su obra y como raza perseguida, fueran la expresión de su alma.

El romance había formado parte fundamental de la educación del poeta, tanto en su contacto con lo popular como en sus conocimientos de la tradición culta. El romance (desde el viejo al romántico, desde Zorrilla a Antonio Machado) estaba a su disposición para que tomara de él sus virtudes, su anécdota y su flor lírica, y las sometiese a un proceso simbolizador que diera dimensión universal a la eterna dualidad entre la libertad y la tiranía, el presagio y la muerte, el erotismo y la culpa, lo celeste y lo telúrico, lo mitológico y lo vulgar.

ROMANCE DE LA LUNA, LUNA

A Conchita García Lorca

La luna vino a la fragua
con su polisón de nardos.
El niño la mira, mira.
El niño la está mirando.
5 En el aire conmovido
mueve la luna sus brazos
y enseña, lúbrica y pura,
sus senos de duro estaño.
Huye luna, luna, luna.
10 Si vinieran los gitanos,
harían con tu corazón
collares y anillos blancos.
Niño, déjame que baile.
Cuando vengan los gitanos,
15 te encontrarán sobre el yunque
con los ojillos cerrados.
Huye luna, luna, luna,
que ya siento sus caballos.
Niño, déjame, no pises
20 mi blancor almidonado.

El jinete se acercaba
tocando el tambor del llano.
Dentro de la fragua el niño
tiene los ojos cerrados.
25   Por el olivar venían,
bronce y sueño, los gitanos.
Las cabezas levantadas
y los ojos entornados.
Cómo canta la zumaya,
30   ¡ay cómo canta en el árbol!
Por el cielo va la luna
con un niño de la mano.

Dentro de la fragua lloran,
dando gritos, los gitanos.
35   El aire la vela, vela.
El aire la está velando.

PRECIOSA Y EL AIRE

A Dámaso Alonso

Su luna de pergamino
Preciosa tocando viene,
por un anfibio sendero
de cristales y laureles.
5   El silencio sin estrellas,
huyendo del sonsonete,
cae donde el mar bate y canta
su noche llena de peces.
En los picos de la sierra
10   los carabineros duermen
guardando las blancas torres
donde viven los ingleses.

Y los gitanos del agua
levantan, por distraerse,
15   glorietas de caracolas
y ramas de pino verde.

*

Su luna de pergamino.
Preciosa tocando viene.
Al verla se ha levantado
20   el viento, que nunca duerme.
San Cristobalón desnudo,
lleno de lenguas celestes,
mira la niña tocando
una dulce gaita ausente.

25   Niña, deja que levante
tu vestido para verte.
Abre en mis dedos antiguos
la rosa azul de tu vientre.

Preciosa tira el pandero
30   y corre sin detenerse.
El viento-hombrón la persigue
con una espada caliente.

Frunce su rumor el mar.
Los olivos palidecen.
35   Cantan las flautas de umbría
y el liso gong de la nieve.

¡Preciosa, corre, Preciosa,
que te coge el viento verde!
¡Preciosa, corre, Preciosa!
40   ¡Míralo por dónde viene!

Sátiro de estrellas bajas
con sus lenguas relucientes.

*

Preciosa, llena de miedo,
entra en la casa que tiene,
45 más arriba de los pinos,
el cónsul de los ingleses.

Asustados por los gritos
tres carabineros vienen,
sus negras capas ceñidas
50 y los gorros en las sienes.

El inglés da a la gitana
un vaso de tibia leche,
y una copa de ginebra
que Preciosa no se bebe.

55 Y mientras cuenta, llorando,
su aventura a aquella gente,
en las tejas de pizarra
el viento, furioso, muerde.

ROMANCE SONÁMBULO

A Gloria Giner y a Fernando de los Ríos

Verde que te quiero verde.
Verde viento. Verdes ramas.
El barco sobre la mar
y el caballo en la montaña.
5 Con la sombra en la cintura

ella sueña en su baranda,
verde carne, pelo verde,
con ojos de fría plata.
Verde que te quiero verde.
10 Bajo la luna gitana,
las cosas la están mirando
y ella no puede mirarlas.

*

Verde que te quiero verde.
Grandes estrellas de escarcha
15 vienen con el pez de sombra
que abre el camino del alba.
La higuera frota su viento
con la lija de sus ramas,
y el monte, gato garduño,
20 eriza sus pitas agrias.
¿Pero quién vendrá? ¿Y por dónde…?
Ella sigue en su baranda,
verde carne, pelo verde,
soñando en la mar amarga.

*

25 Compadre, quiero cambiar
mi caballo por su casa,
mi montura por su espejo,
mi cuchillo por su manta.
Compadre, vengo sangrando
30 desde los puertos de Cabra.
Si yo pudiera, mocito,
este trato se cerraba.
Pero yo ya no soy yo,
ni mi casa es ya mi casa.

Compadre, quiero morir
decentemente en mi cama.
De acero, si puede ser,
con las sábanas de holanda.
¿No veis la herida que tengo
40 desde el pecho a la garganta?
Trescientas rosas morenas
lleva tu pechera blanca.
Tu sangre rezuma y huele
alrededor de tu faja.
45 Pero yo ya no soy yo,
ni mi casa es ya mi casa.
Dejadme subir al menos
hasta las altas barandas,
¡dejadme subir!, dejadme
50 hasta las verdes barandas.
Barandales de la luna
por donde retumba el agua.

*

Ya suben los dos compadres
hacia las altas barandas.
55 Dejando un rastro de sangre.
Dejando un rastro de lágrimas.
Temblaban en los tejados
farolillos de hojalata.
Mil panderos de cristal
60 herían la madrugada.

*

Verde que te quiero verde,
verde viento, verdes ramas.
Los dos compadres subieron.

El largo viento dejaba
65 en la boca un raro gusto
de hiel, de menta y de albahaca.
¡Compadre! ¿Dónde está, dime?
¿Dónde está tu niña amarga?
¡Cuántas veces te esperó!
70 ¡Cuántas veces te esperara,
cara fresca, negro pelo,
en esta verde baranda!

*

Sobre el rostro del aljibe
se mecía la gitana.
75 Verde carne, pelo verde,
con ojos de fría plata.
Un carámbano de luna
la sostiene sobre el agua.
La noche se puso íntima
80 como una pequeña plaza.
Guardias civiles borrachos
en la puerta golpeaban.
Verde que te quiero verde.
Verde viento. Verdes ramas.
85 El barco sobre la mar.
Y el caballo en la montaña.

LA CASADA INFIEL

A Lydia Cabrera y a su negrita

Y que yo me la llevé al río
creyendo que era mozuela,
pero tenía marido.

Fue la noche de Santiago
y casi por compromiso.
Se apagaron los faroles
y se encendieron los grillos.
En las últimas esquinas
toqué sus pechos dormidos,
y se me abrieron de pronto
como ramos de jacintos.
El almidón de su enagua
me sonaba en el oído,
como una pieza de seda
rasgada por diez cuchillos.
Sin luz de plata en sus copas
los árboles han crecido
y un horizonte de perros
ladra muy lejos del río.

*

Pasadas las zarzamoras,
los juncos y los espinos,
bajo su mata de pelo
hice un hoyo sobre el limo.
Yo me quité la corbata.
Ella se quitó el vestido.
Yo el cinturón con revólver.
Ella sus cuatro corpiños.
Ni nardos ni caracolas
tienen el cutis tan fino,
ni los cristales con luna
relumbran con ese brillo.
Sus muslos se me escapaban
como peces sorprendidos,
la mitad llenos de lumbre,
la mitad llenos de frío.

Aquella noche corrí
el mejor de los caminos,
montado en potra de nácar
sin bridas y sin estribos.
40 No quiero decir, por hombre,
las cosas que ella me dijo.
La luz del entendimiento
me hace ser muy comedido.
Sucia de besos y arena,
45 yo me la llevé del río.
Con el aire se batían
las espadas de los lirios.

Me porté como quien soy.
Como un gitano legítimo.
50 La regalé un costurero
grande de raso pajizo,
y no quise enamorarme
porque teniendo marido
me dijo que era mozuela
55 cuando la llevaba al río.

ROMANCE DE LA PENA NEGRA

A José Navarro Pardo

Las piquetas de los gallos
cavan buscando la aurora,
cuando por el monte oscuro
baja Soledad Montoya.
5 Cobre amarillo su carne,
huele a caballo y a sombra.
Yunques ahumados sus pechos,
gimen canciones redondas.

Soledad: ¿por quién preguntas
sin compaña y a estas horas?
Pregunte por quien pregunte,
dime: ¿a ti qué se te importa?
Vengo a buscar lo que busco,
mi alegría y mi persona.
Soledad de mis pesares,
caballo que se desboca,
al fin encuentra la mar
y se lo tragan las olas.
No me recuerdes el mar,
que la pena negra brota
en las tierras de aceituna
bajo el rumor de las hojas.
¡Soledad, qué pena tienes!
¡Qué pena tan lastimosa!
Lloras zumo de limón
agrio de espera y de boca.
¡Qué pena tan grande! Corro
mi casa como una loca,
mis dos trenzas por el suelo,
de la cocina a la alcoba.
¡Qué pena! Me estoy poniendo
de azabache carne y ropa.
¡Ay mis camisas de hilo!
¡Ay mis muslos de amapola!
Soledad: lava tu cuerpo
con agua de las alondras,
y deja tu corazón
en paz, Soledad Montoya.

*

Por abajo canta el río:
volante de cielo y hojas.

Con flores de calabaza,
la nueva luz se corona.
¡Oh pena de los gitanos!
Pena limpia y siempre sola.
45   ¡Oh pena de cauce oculto
y madrugada remota!

SAN MIGUEL
Granada

A Diego Buigas de Dalmau

Se ven desde las barandas,
por el monte, monte, monte,
mulos y sombras de mulos
cargados de girasoles.

5   Sus ojos en las umbrías
se empañan de inmensa noche.
En los recodos del aire,
cruje la aurora salobre.

Un cielo de mulos blancos
10   cierra sus ojos de azogue
dando a la quieta penumbra
un final de corazones.
Y el agua se pone fría
para que nadie la toque.
15   Agua loca y descubierta
por el monte, monte, monte.

*

San Miguel lleno de encajes
en la alcoba de su torre,

enseña sus bellos muslos,
20 ceñidos por los faroles.

Arcángel domesticado
en el gesto de las doce,
finge una cólera dulce
de plumas y ruiseñores.
25 San Miguel canta en los vidrios;
Efebo de tres mil noches,
fragante de agua colonia
y lejano de las flores.

*

El mar baila por la playa,
30 un poema de balcones.
Las orillas de la luna
pierden juncos, ganan voces.
Vienen manolas comiendo
semillas de girasoles,
35 los culos grandes y ocultos
como planetas de cobre.
Vienen altos caballeros
y damas de triste porte,
morenas por la nostalgia
40 de un ayer de ruiseñores.
Y el obispo de Manila,
ciego de azafrán y pobre,
dice misa con dos filos
para mujeres y hombres.

*

45 San Miguel se estaba quieto
en la alcoba de su torre,

con las enaguas cuajadas
de espejitos y entredoses.

San Miguel, rey de los globos
50 y de los números nones,
en el primor berberisco
de gritos y miradores.

PRENDIMIENTO DE ANTOÑITO
EL CAMBORIO EN EL CAMINO
DE SEVILLA

A Margarita Xirgu

Antonio Torres Heredia,
hijo y nieto de Camborios,
con una vara de mimbre
va a Sevilla a ver los toros.
5 Moreno de verde luna
anda despacio y garboso.
Sus empavonados bucles
le brillan entre los ojos.
A la mitad del camino
10 cortó limones redondos,
y los fue tirando al agua
hasta que la puso de oro.
Y a la mitad del camino,
bajo las ramas de un olmo,
15 Guardia Civil caminera
lo llevó codo con codo.

*

El día se va despacio,
la tarde colgada a un hombro,

199

dando una larga torera
20 sobre el mar y los arroyos.
Las aceitunas aguardan
la noche de Capricornio,
y una corta brisa, ecuestre,
salta los montes de plomo.
25 Antonio Torres Heredia,
hijo y nieto de Camborios,
viene sin vara de mimbre
entre los cinco tricornios.

Antonio, ¿quién eres tú?
30 Si te llamaras Camborio,
hubieras hecho una fuente
de sangre con cinco chorros.
Ni tú eres hijo de nadie,
ni legítimo Camborio.
35 ¡Se acabaron los gitanos
que iban por el monte solos!
Están los viejos cuchillos
tiritando bajo el polvo.

*

A las nueve de la noche
40 lo llevan al calabozo,
mientras los guardias civiles
beben limonada todos.
Y a las nueve de la noche
le cierran el calabozo,
45 mientras el cielo reluce
como la grupa de un potro.

MUERTE DE ANTOÑITO EL CAMBORIO

A José Antonio Rubio Sacristán

Voces de muerte sonaron
cerca del Guadalquivir.
Voces antiguas que cercan
voz de clavel varonil.
5   Les clavó sobre las botas
mordiscos de jabalí.
En la lucha daba saltos
jabonados de delfín.
Bañó con sangre enemiga
10   su corbata carmesí,
pero eran cuatro puñales
y tuvo que sucumbir.
Cuando las estrellas clavan
rejones al agua gris,
15   cuando los erales sueñan
verónicas de alhelí,
voces de muerte sonaron
cerca del Guadalquivir.

*

Antonio Torres Heredia,
20   Camborio de dura crin,
moreno de verde luna,
voz de clavel varonil:
¿Quién te ha quitado la vida
cerca del Guadalquivir?
25   Mis cuatro primos Heredias,
hijos de Benamejí.
Lo que en otros no envidiaban,
ya lo envidiaban en mí.

Zapatos color corinto,
30 medallones de marfil,
y este cutis amasado
con aceituna y jazmín.
¡Ay Antoñito el Camborio,
digno de una Emperatriz!
35 Acuérdate de la Virgen
porque te vas a morir.
¡Ay Federico García,
llama a la Guardia Civil!
Ya mi talle se ha quebrado
40 como caña de maíz.

Tres golpes de sangre tuvo,
y se murió de perfil.
Viva moneda que nunca
se volverá a repetir.
45 Un ángel marchoso pone
su cabeza en un cojín.
Otros de rubor cansado
encendieron un candil.
Y cuando los cuatro primos
50 llegan a Benamejí,
voces de muerte cesaron
cerca del Guadalquivir.

MUERTO DE AMOR

A Margarita Manso

¿Qué es aquello que reluce
por los altos corredores?
Cierra la puerta, hijo mío,
acaban de dar las once.
5 En mis ojos, sin querer,

relumbran cuatro faroles.
Será que la gente aquella
estará fraguando el cobre.

*

Ajo de agónica plata
10   la luna menguante, pone
cabelleras amarillas
a las amarillas torres.
La noche llama temblando
al cristal de los balcones
15   perseguida por los mil
perros que no la conocen,
y un olor de vino y ámbar
viene de los corredores.

*

Brisas de caña mojada
20   y rumor de viejas voces
resonaban por el arco
roto de la medianoche.
Bueyes y rosas dormían.
Sólo por los corredores
25   las cuatro luces clamaban
con el furor de San Jorge.
Tristes mujeres del valle
bajaban su sangre de hombre,
tranquila de flor cortada
30   y amarga de muslo joven.
Viejas mujeres del río
lloraban al pie del monte,
un minuto intransitable
de cabelleras y nombres.

35 Fachadas de cal ponían
cuadrada y blanca la noche.
Serafines y gitanos
tocaban acordeones.
Madre, cuando yo me muera,
40 que se enteren los señores.
Pon telegramas azules
que vayan del Sur al Norte.

Siete gritos, siete sangres,
siete adormideras dobles
45 quebraron opacas lunas
en los oscuros salones.
Lleno de manos cortadas
y coronitas de flores,
el mar de los juramentos
50 resonaba no sé dónde.
Y el cielo daba portazos
al brusco rumor del bosque,
mientras clamaban las luces
en los altos corredores.

ROMANCE DEL EMPLAZADO

Para Emilio Aladrén

¡Mi soledad sin descanso!
Ojos chicos de mi cuerpo
y grandes de mi caballo,
no se cierran por la noche
5 ni miran al otro lado,
donde se aleja tranquilo
un sueño de trece barcos.
Sino que, limpios y duros

escuderos desvelados,
10   mis ojos miran un norte
de metales y peñascos,
donde mi cuerpo sin venas
consulta naipes helados.

*

Los densos bueyes del agua
15   embisten a los muchachos
que se bañan en las lunas
de sus cuernos ondulados.
Y los martillos cantaban
sobre los yunques sonámbulos
20   el insomnio del jinete
y el insomnio del caballo.

*

El veinticinco de junio
le dijeron a el Amargo:
Ya puedes cortar, si gustas,
25   las adelfas de tu patio.
Pinta una cruz en la puerta
y pon tu nombre debajo,
porque cicutas y ortigas
nacerán en tu costado,
30   y agujas de cal mojada
te morderán los zapatos.
Será de noche, en lo oscuro,
por los montes imantados,
donde los bueyes del agua
35   beben los juncos soñando.
Pide luces y campanas.
Aprende a cruzar las manos,

y gusta los aires fríos
de metales y peñascos.
40 Porque dentro de dos meses
yacerás amortajado.

*

Espadón de nebulosa
mueve en el aire Santiago.
Grave silencio, de espalda,
45 manaba el cielo combado.

*

El veinticinco de junio
abrió sus ojos Amargo,
y el veinticinco de agosto
se tendió para cerrarlos.
50 Hombres bajaban la calle
para ver al emplazado,
que fijaba sobre el muro
su soledad con descanso.
Y la sábana impecable,
55 de duro acento romano,
daba equilibrio a la muerte
con las rectas de sus paños.

ROMANCE DE LA GUARDIA CIVIL ESPAÑOLA

A Juan Guerrero,
Cónsul general de la poesía

Los caballos negros son.
Las herraduras son negras.

Sobre las capas relucen
manchas de tinta y de cera.
5   Tienen, por eso no lloran,
de plomo las calaveras.
Con el alma de charol
vienen por la carretera.
Jorobados y nocturnos,
10   por donde animan ordenan
silencios de goma oscura
y miedos de fina arena.
Pasan, si quieren pasar,
y ocultan en la cabeza
15   una vaga astronomía
de pistolas inconcretas.

*

¡Oh ciudad de los gitanos!
En las esquinas banderas.
La luna y la calabaza
20   con las guindas en conserva.
¡Oh ciudad de los gitanos!
¿Quién te vio y no te recuerda?
Ciudad de dolor y almizcle,
con las torres de canela.

*

25   Cuando llegaba la noche,
noche que noche nochera,
los gitanos en sus fraguas
forjaban soles y flechas.
Un caballo malherido
30   llamaba a todas las puertas.
Gallos de vidrio cantaban

por Jerez de la Frontera.
El viento vuelve desnudo
la esquina de la sorpresa,
35   en la noche platinoche,
noche, que noche nochera.

*

La Virgen y San José
perdieron sus castañuelas,
y buscan a los gitanos
40   para ver si las encuentran.
La Virgen viene vestida
con un traje de alcaldesa,
de papel de chocolate
con los collares de almendras.
45   San José mueve los brazos
bajo una capa de seda.
Detrás va Pedro Domecq
con tres sultanes de Persia.
La media luna soñaba
50   un éxtasis de cigüeña.
Estandartes y faroles
invaden las azoteas.
Por los espejos sollozan
bailarinas sin caderas.
55   Agua y sombra, sombra y agua
por Jerez de la Frontera.

*

¡Oh ciudad de los gitanos!
En las esquinas banderas.
Apaga tus verdes luces,
60   que viene la benemérita.

¡Oh ciudad de los gitanos!
¿Quién te vio y no te recuerda?
Dejadla lejos del mar,
sin peines para sus crenchas.

*

65   Avanzan de dos en fondo
a la ciudad de la fiesta.
Un rumor de siemprevivas
invade las cartucheras.
Avanzan de dos en fondo.
70   Doble nocturno de tela.
El cielo se les antoja
una vitrina de espuelas.

*

La ciudad, libre de miedo,
multiplicaba sus puertas.
75   Cuarenta guardias civiles
entraron a saco por ellas.
Los relojes se pararon,
y el coñac de las botellas
se disfrazó de noviembre
80   para no infundir sospechas.
Un vuelo de gritos largos
se levantó en las veletas.
Los sables cortan las brisas
que los cascos atropellan.
85   Por las calles de penumbra
huyen las gitanas viejas
con los caballos dormidos
y las orzas de moneda.
Por las calles empinadas

90　　suben las capas siniestras,
　　　dejando detrás fugaces
　　　remolinos de tijeras.

　　　En el portal de Belén
　　　los gitanos se congregan.
95　　San José, lleno de heridas,
　　　amortaja a una doncella.
　　　Tercos fusiles agudos
　　　por toda la noche suenan.
　　　La Virgen cura a los niños
100　con salivilla de estrella.
　　　Pero la Guardia Civil
　　　avanza sembrando hogueras,
　　　donde joven y desnuda
　　　la imaginación se quema.
105　Rosa la de los Camborios
　　　gime sentada en su puerta
　　　con sus dos pechos cortados
　　　puestos en una bandeja.
　　　Y otras muchachas corrían
110　perseguidas por sus trenzas,
　　　en un aire donde estallan
　　　rosas de pólvora negra.
　　　Cuando todos los tejados
　　　eran surcos en la tierra,
115　el alba meció sus hombros
　　　en largo perfil de piedra.

*

　　　¡Oh ciudad de los gitanos!
　　　La Guardia Civil se aleja
　　　por un túnel de silencio,
120　mientras las llamas te cercan.

¡Oh ciudad de los gitanos!
¿Quién te vio y no te recuerda?
Que te busquen en mi frente.
Juego de luna y arena.

THAMAR Y AMNÓN

Para Alfonso García-Valdecasas

La luna gira en el cielo
sobre las sierras sin agua
mientras el verano siembra
rumores de tigre y llama.
5   Por encima de los techos
nervios de metal sonaban.
Aire rizado venía
con los balidos de lana.
La sierra se ofrece llena
10   de heridas cicatrizadas,
o estremecida de agudos
cauterios de luces blancas.

*

Thamar estaba soñando
pájaros en su garganta
15   al son de panderos fríos
y cítaras enlunadas.
Su desnudo en el alero,
agudo norte de palma,
pide copos a su vientre
20   y granizo a sus espaldas.
Thamar estaba cantando

211

desnuda por la terraza.
Alrededor de sus pies,
cinco palomas heladas.
25 Amnón, delgado y concreto,
en la torre la miraba,
llenas las ingles de espuma
y oscilaciones la barba.
Su desnudo iluminado
30 se tendía en la terraza,
con un rumor entre dientes
de flecha recién clavada.
Amnón estaba mirando
la luna redonda y baja,
35 y vio en la luna los pechos
durísimos de su hermana.

*

Amnón a las tres y media
se tendió sobre la cama.
Toda la alcoba sufría
40 con sus ojos llenos de alas.
La luz, maciza, sepulta
pueblos en la arena parda,
o descubre transitorio
coral de rosas y dalias.
45 Linfa de pozo oprimida
brota silencio en las jarras.
En el musgo de los troncos
la cobra tendida canta.
Amnón gime por la tela
50 fresquísima de la cama.
Yedra del escalofrío
cubre su carne quemada.
Thamar entró silenciosa

en la alcoba silenciada,
55   color de vena y Danubio,
turbia de huellas lejanas.
Thamar, bórrame los ojos
con tu fija madrugada.
Mis hilos de sangre tejen
60   volantes sobre tu falda.
Déjame tranquila, hermano.
Son tus besos en mi espalda
avispas y vientecillos
en doble enjambre de flautas.
65   Thamar, en tus pechos altos
hay dos peces que me llaman,
y en las yemas de tus dedos
rumor de rosa encerrada.

*

Los cien caballos del rey
70   en el patio relinchaban.
Sol en cubos resistía
la delgadez de la parra.
Ya la coge del cabello,
ya la camisa le rasga.
75   Corales tibios dibujan
arroyos en rubio mapa.

*

¡Oh, qué gritos se sentían
por encima de las casas!
Qué espesura de puñales
80   y túnicas desgarradas.
Por las escaleras tristes
esclavos suben y bajan.

Émbolos y muslos juegan
bajo las nubes paradas.
85 Alrededor de Thamar
gritan vírgenes gitanas
y otras recogen las gotas
de su flor martirizada.
Paños blancos enrojecen
90 en las alcobas cerradas.
Rumores de tibia aurora,
pámpanos y peces cambian.

*

Violador enfurecido,
Amnón huye con su jaca.
95 Negros le dirigen flechas
en los muros y atalayas.
Y cuando los cuatro cascos
eran cuatro resonancias,
David con unas tijeras cortó
100 las cuerdas del arpa.

ODAS
(1924-1929)

García Lorca, de manera simultánea a la escritura de *Romance-ro gitano*, elaboró varias *Odas* de carácter muy diverso, tanto en tema como en métrica. Se conocen esencialmente tres composiciones de este periodo: «Oda a Salvador Dalí», «Soledad (Homenaje a Fray Luis de León)» y «Oda al Santísimo Sacramento del Altar». Tanto la dedicada al pintor Salvador Dalí como la del Santísimo Sacramento tienen factura clásica y están compuestas por versos alejandrinos blancos. Esta homogeneidad métrica no hace sino potenciar el tema y el fondo emocional de ambas odas: elevada plenitud sentimental en la primera y hondo sentimiento de angustia, de abandono y de indefensión en la dedicada al Sacramento del Altar.

La «Oda a Salvador Dalí», titulada en un primer momento «Oda *didáctica* a S. D.», no deja de ser un poema doctrinario sobre la estética cubista y una «perfecta y equilibrada transcripción poética» de sus normas, según Guillermo de Torre.[1] Desde el punto de vista biográfico, el poema aporta el valioso testimonio de la amistad que en esos años de influencias recíprocas unió al poeta y al pintor. Como composición literaria, es un poema mayor que no tiene precedentes en la lírica de su tiempo, con un perfecto equilibrio entre concepto, métrica y lenguaje y que, pese a su cerrada estructura, evita el pecado de la reiteración y la monotonía.

1. Guillermo de TORRE, «Federico García Lorca (Boceto de un estudio crítico inconcluso)», *Verso y Prosa* (1927), núm. 3.

La «Oda al Santísimo Sacramento del Altar» es, sin duda, la más ambiciosa de la serie. Con una extensa y solemne orquestación, tiene una estructura teológica que divide el poema en cuatro partes: *Exposición* (apoteosis del Sacramento Eucarístico frente al que se sitúan los tres enemigos del alma:), *Mundo*, *Demonio* y *Carne*. El sentido de esta composición, más allá de una reflexión sobre el dogma y la fe, hay que buscarlo en la crisis sentimental que sufre García Lorca esos días de 1928 y su dolorosa ruptura con Emilio Aladrén. La sensación de desamparo y de traición le lleva a refugiarse en el Dios de su infancia en busca de consuelo y de paz, un alivio de esperanza que trata de ganarse con el esfuerzo poético, construyendo una oda ejemplar que supera el significado religioso y la tradición católica, y lo lleva a espacios míticos, a una renovación metafórica de lo litúrgico y a la anticipación de un lenguaje que alcanzará su plenitud en su siguiente libro: *Poeta en Nueva York*.

ODA A SALVADOR DALÍ

Una rosa en el alto jardín que tú deseas.
Una rueda en la pura sintaxis del acero.
Desnuda la montaña de niebla impresionista.
Los grises oteando sus balaustradas últimas.

5   Los pintores modernos, en sus blancos estudios,
cortan la flor aséptica de la raíz cuadrada.
En las aguas del Sena un *ice-berg* de mármol
enfría las ventanas y disipa las yedras.

El hombre pisa fuerte las calles enlosadas.
10   Los cristales esquivan la magia del reflejo.
El Gobierno ha cerrado las tiendas de perfume.
La máquina eterniza sus compases binarios.

Una ausencia de bosques, biombos y entrecejos
yerra por los tejados de las casas antiguas.
15   El aire pulimenta su prisma sobre el mar
y el horizonte sube como un gran acueducto.

Marineros que ignoran el vino y la penumbra
decapitan sirenas en los mares de plomo.
La Noche, negra estatua de la prudencia, tiene
20   el espejo redondo de la luna en su mano.

Un deseo de formas y límites nos gana.
Viene el hombre que mira con el metro amarillo.
Venus es una blanca naturaleza muerta
y los coleccionistas de mariposas huyen.

*

25 Cadaqués, en el fiel del agua y la colina,
eleva escalinatas y oculta caracolas.
Las flautas de madera pacifican el aire.
Un viejo dios silvestre da frutas a los niños.

Sus pescadores duermen, sin ensueño, en la arena.
30 En alta mar les sirve de brújula una rosa.
El horizonte virgen de pañuelos heridos
junta los grandes vidrios del pez y de la luna.

Una dura corona de blancos bergantines
ciñe frentes amargas y cabellos de arena.
35 Las sirenas convencen, pero no sugestionan,
y salen si mostramos un vaso de agua dulce.

*

¡Oh Salvador Dalí, de voz aceitunada!
No elogio tu imperfecto pincel adolescente
ni tu color que ronda la color de tu tiempo,
40 pero alabo tus ansias de eterno limitado.

Alma higiénica, vives sobre mármoles nuevos.
Huyes la oscura selva de formas increíbles.
Tu fantasía llega donde llegan tus manos,
y gozas el soneto del mar en tu ventana.

45   El mundo tiene sordas penumbras y desorden,
en los primeros términos que el humano frecuenta.
Pero ya las estrellas, ocultando paisajes,
señalan el esquema perfecto de sus órbitas.

La corriente del tiempo se remansa y ordena
50   en las formas numéricas de un siglo y otro siglo.
Y la Muerte vencida se refugia temblando
en el círculo estrecho del minuto presente.

Al coger tu paleta, con un tiro en un ala,
pides la luz que anima la copa del olivo.
55   Ancha luz de Minerva, constructora de andamios,
donde no cabe el sueño ni su flora inexacta.

Pides la luz antigua que se queda en la frente,
sin bajar a la boca ni al corazón del hombre.
Luz que temen las vides entrañables de Baco
60   y la fuerza sin orden que lleva el agua curva.

Haces bien en poner banderines de aviso
en el límite oscuro que relumbra de noche.
Como pintor no quieres que te ablande la forma
el algodón cambiante de una nube imprevista.

65   El pez en la pecera y el pájaro en la jaula.
No quieres inventarlos en el mar o en el viento.
Estilizas o copias después de haber mirado,
con honestas pupilas, sus cuerpecillos ágiles.

Amas una materia definida y exacta
70   donde el hongo no pueda poner su campamento.
Amas la arquitectura que construye en lo ausente
y admites la bandera como una simple broma.

Dice el compás de acero su corto verso elástico.
Desconocidas islas desmienten ya la esfera.
75 Dice la línea recta su vertical esfuerzo
y los sabios cristales cantan sus geometrías.

*

Pero también la rosa del jardín donde vives.
¡Siempre la rosa, siempre, norte y sur de nosotros!
Tranquila y concentrada como una estatua ciega,
80 ignorante de esfuerzos soterrados que causa.

Rosa pura que limpia de artificios y croquis
y nos abre las alas tenues de la sonrisa.
(Mariposa clavada que medita su vuelo.)
Rosa del equilibrio sin dolores buscados.
85 ¡Siempre la rosa!

*

¡Oh Salvador Dalí de voz aceitunada!
Digo lo que me dicen tu persona y tus cuadros.
No alabo tu imperfecto pincel adolescente,
pero canto la firme dirección de tus flechas.

90 Canto tu bello esfuerzo de luces catalanas,
tu amor a lo que tiene explicación posible.
Canto tu corazón astronómico y tierno,
de baraja francesa y sin ninguna herida.

Canto el ansia de estatua que persigues sin tregua,
95 el miedo a la emoción que te aguarda en la calle.
Canto la sirenita de la mar que te canta
montada en bicicleta de corales y conchas.

Pero ante todo canto un común pensamiento
que nos une en las horas oscuras y doradas.
100   No es el Arte la luz que nos ciega los ojos.
Es primero el amor, la amistad o la esgrima.

Es primero que el cuadro que paciente dibujas
el seno de Teresa, la de cutis insomne,
el apretado bucle de Matilde la ingrata,
105   nuestra amistad pintada como un juego de oca.

Huellas dactilográficas de sangre sobre el oro
rayen el corazón de Cataluña eterna.
Estrellas como puños sin halcón te relumbren,
mientras que tu pintura y tu vida florecen.

110   No mires la clepsidra con alas membranosas,
ni la dura guadaña de las alegorías.
Viste y desnuda siempre tu pincel en el aire,
frente a la mar poblada con barcos y marinos.

(1926)

ODA AL SANTÍSIMO SACRAMENTO
DEL ALTAR
Homenaje a Manuel de Falla

EXPOSICIÓN

> *Pange lingua gloriosi*
> *corporis misterium.*

Cantaban las mujeres por el muro clavado
cuando te vi, Dios fuerte, vivo en el Sacramento,
palpitante y desnudo, como un niño que corre
perseguido por siete novillos capitales.

5   Vivo estabas, Dios mío, dentro del ostensorio.
    Punzado por tu Padre con aguja de lumbre.
    Latiendo como el pobre corazón de la rana
    que los médicos ponen en el frasco de vidrio.

    Piedra de soledad donde la hierba gime
10 y donde el agua oscura pierde sus tres acentos,
    elevan tu columna de nardo bajo nieve
    sobre el mundo de ruedas y falos que circula.

    Yo miraba tu forma deliciosa flotando
    en la llaga de aceites y paño de agonía,
15 y entornaba mis ojos para dar en el dulce
    tiro al blanco de insomnio sin un pájaro negro.

    Es así, Dios anclado, como quiero tenerte.
    Panderito de harina para el recién nacido.
    Brisa y materia juntas en expresión exacta
20 por amor de la carne que no sabe tu nombre.

    Es así, forma breve de rumor inefable,
    Dios en mantillas, Cristo diminuto y eterno,
    repetido mil veces, muerto, crucificado
    por la impura palabra del hombre sudoroso.

25 Cantaban las mujeres en la arena sin norte,
    cuando te vi presente sobre tu Sacramento.
    Quinientos serafines de resplandor y tinta
    en la cúpula neutra gustaban tu racimo.

    ¡Oh Forma sacratísima, vértice de las flores,
30 donde todos los ángulos toman sus luces fijas,
    donde número y boca construyen un presente
    cuerpo de luz humana con músculos de harina!

¡Oh Forma limitada para expresar concreta
muchedumbre de luces y clamor escuchado!
35 ¡Oh nieve circundada por témpanos de música!
¡Oh llama crepitante sobre todas las venas!

MUNDO

Agnus Dei qui tollis peccata
mundi. Miserere nobis

Noche de los tejados y la planta del pie,
silbaba por los ojos secos de las palomas.
Alga y cristal en fuga ponen plata mojada
los hombros de cemento de todas las ciudades.

5 La gillete descansaba sobre los tocadores
con su afán impaciente de cuello seccionado.
En la casa del muerto, los niños perseguían
una sierpe de arena por el rincón oscuro.

Escribientes dormidos en el piso catorce.
10 Ramera con los senos de cristal arañado.
Cables y media luna con temblores de insecto.
Bares sin gente. Gritos. Cabezas por el agua.

Para el asesinato del ruiseñor, venían
tres mil hombres armados de lucientes cuchillos.
15 Viejas y sacerdotes lloraban resistiendo
una lluvia de lenguas y hormigas voladoras.

Noche de rostro blanco. Nula noche sin rostro.
Bajo el sol y la luna. Triste noche del Mundo.
Dos mitades opuestas y un hombre que no sabe
20 cuándo su mariposa dejará los relojes.

225

Debajo de las alas del dragón hay un niño.
Caballitos de cadmio por la estrella sin sangre.
El unicornio quiere lo que la rosa olvida,
y el pájaro pretende lo que las aguas vedan.

25 Sólo tu Sacramento de luz en equilibrio
aquietaba la angustia del amor desligado.
Sólo tu Sacramento, manómetro que salva
corazones lanzados a quinientos por hora.

Porque tu signo es clave de llanura celeste
30 donde naipe y herida se entrelazan cantando,
donde la luz desboca su toro relumbrante
y se afirma el aroma de la rosa templada.

Porque tu signo expresa la brisa y el gusano.
Punto de unión y cita del siglo y el minuto.
35 Orbe claro de muertos y hormiguero de vivos
con el hombre de nieves y el negro de la llama.

Mundo, ya tienes meta para tu desamparo.
Para tu horror perenne de agujero sin fondo.
¡Oh Cordero cautivo de tres voces iguales!
40 ¡Sacramento inmutable de amor y disciplina!

DEMONIO

Quia tu es Deus, fortitudo mea,
quare me sepulisti? et quare tristis
incedo dum affligit me inimicus?

Honda luz cegadora de materia crujiente,
luz oblicua de espadas y mercurio de estrella,
anunciaban el cuerpo sin amor que llegaba
por todas las esquinas del abierto domingo.

5 Forma de la belleza sin nostalgias ni sueño.
    Rumor de superficies libertadas y locas.
    Médula de presente. Seguridad fingida
    de flotar sobre el agua con el torso de mármol.

    Cuerpo de la belleza que late y que se escapa;
10 un momento de venas y ternura de ombligo.
    Belleza encadenada sin línea en flor, ni centro,
    ni puras relaciones de número y sonrisa.

    Vedlo llegar, oriente de la mano que palpa.
    Vendaval y mancebo de rizos y moluscos.
15 Fuego para la carne sensible que se quema.
    Níquel para el sollozo que busca a Dios volando.

    Las nubes proyectaban sombras de cocodrilo
    sobre un cielo incoloro batido por motores.
    Altas esquinas grises y letras encendidas
20 señalaban las tiendas del enemigo Bello.

    No es la mujer desnuda, ni el duro adolescente
    ni el corazón clavado con besos y lancetas.
    No es el dueño de todos los caballos del mundo
    ni descubrir el anca musical de la luna.

25 El encanto secreto del enemigo es otro.
    Permanecer. Quedarse en la luz del instante.
    Permanecer clavados en su belleza triste
    y evitar la inocencia de las aguas nacidas.

    Que al balido reciente y a la flor desnortada
30 y a los senos sin huellas de la monja dormida
    responda negro toro de límites maduros
    con la flor de un momento sin pudor ni mañana.

Para vencer la carne fuerte del enemigo,
mágico prodigioso de fuegos y colores,
35 das tu cuerpo celeste y tu sangre divina
en este Sacramento definido que canto.

Desciendes a la materia para hacerte visible
a los ojos que observan tu vida renovada
y vences sin espadas, en unidad sencilla,
40 al enemigo bello de las mil calidades.

¡Alegrísimo Dios! ¡Alegrísima Forma!
Aleluya reciente de todas las mañanas.
Misterio facilísimo de razón o de sueño
si es fácil la belleza visible de la rosa.

45 ¡Aleluya, aleluya del zapato y la nieve!
Alba pura de acantos en la mano incompleta.
Aleluya, aleluya de la norma y el punto
sobre los cuatro vientos sin afán deportivo.

Lanza tu Sacramento semillas de alegría
50 contra los perdigones de dolor del Demonio,
y en el estéril valle de luz y roca pura
la aguja de la flauta rompe un ángel de vidrio.

CARNE

> *Qué bien os quedasteis,*
> *galán del cielo,*
> *que es muy de galanes*
> *quedarse en cuerpo*

Lope de Vega, *Auto de los cantares*

Por el nombre del Padre, roca, luz y fermento.
Por el nombre del Hijo, flor y sangre vertida,

en el fuego visible del Espíritu Santo,
Eva quema sus dedos teñidos de manzana.

5   Eva gris y rayada con la púrpura rota,
cubierta con las mieles y el rumor del insecto.
Eva de yugulares y de musgo baboso
en el primer impulso torpe de los planetas.

Llegaban las higueras con las flores calientes
10 a destrozar los blancos muros de disciplina.
El hacha por el bosque daba normas de viento
a la pura dinamo clavada en su martirio.

Hilos y nervios tiemblan en la sección fragante
de la luna y el vientre que el bisturí descubre.
15 En el diván de raso los amantes aprietan
los tibios algodones donde duermen sus huesos.

¡Mirad aquel caballo cómo corre! ¡Miradlo
por los hombros y el seno de la niña cuajada!
¡Mirad qué tiernos ayes y qué son movedizo
20 oprimen la cintura del joven embalado!

¡Venid, venid! Las venas alargarán sus puntas
para morder la cresta del caimán enlunado,
mientras la verde sangre de Sodoma reluce
por la sala de un yerto corazón de aluminio.

25 Es preciso que el llanto se derrame en la axila,
que la mano recuerde blanda goma nocturna.
Es preciso que ritmos de sístole y diástole
empañen el rubor inhumano del cielo.

Tienen en lo más blanco huevecillos de muerte
30 (diminutos madroños de arsénico invisible),

que secan y destruyen el nervio de luz pura
por donde el alma filtra lección de beso y ala.

Es tu cuerpo, galán, tu boca, tu cintura,
el gusto de tu sangre por los dientes helados.
35 Es tu carne vencida, rota, pisoteada,
la que vence y relumbra sobre la carne nuestra.

Es el gesto vacío de lo libre sin norte
que se llena de rosas concretas y finales.
Adam es luz y espera bajo el arco podrido
40 las dos niñas de lumbre que agitaban sus sienes.

¡Oh Corpus Christi! ¡Oh Corpus de absoluto
   silencio
donde se quema el cisne y fulgura el leproso!
¡Oh blanca Forma insomne!
¡Ángeles y ladridos contra el rumor de venas!

POEMAS EN PROSA
(1927-1934)

La eliminación de fronteras entre verso y prosa no es un recurso inventado por los poetas de la Generación del 27. La prosa poética había sido un género experimentado por el modernismo y, de modo preciso y magistral, por Juan Ramón Jiménez. Sin embargo, García Lorca es de los adelantados del grupo a la hora de recurrir al poema en prosa (y, de paso, al modelo de los simbolistas franceses: Rimbaud, Baudelaire, Lautréamont), y lo hace con textos llenos de vigor, de dinamismo, a partir de un núcleo argumental. De ahí surgieron las siete composiciones conocidas hasta hoy: «Nadadora sumergida», «Suicidio en Alejandría», «Amantes asesinados por una perdiz», «Santa Lucía y San Lázaro», «Degollación del Bautista», «Degollación de los inocentes» y «La gallina».

Tras las críticas hostiles que *Romancero gitano* había recibido por parte de Dalí, Buñuel y Bergamín, entre otros compañeros, y la crisis estética y sentimental que le sobrevino al poeta granadino, la aparición de estos poemas como reacción al conflicto marca una inflexión importante en su trayectoria. Así se lo trasmitía a Sebastià Gasch en el verano de 1928: «Ahí te mando los dos poemas. […] Son los primeros que he hecho. Naturalmente, están en prosa porque el verso es una ligadura que no resisten. Pero en ellos sí notarás, desde luego, la ternura de mi actual corazón.»[1]

Pasada la fiebre que dio pleno sentido a estas composiciones, llenas de perspectivas intencionadamente dislocadas, pla-

---

1. FGL, *Obras completas*, III, *op. cit.*, pág. 1080.

nos superpuestos, metáforas de una cultura en descomposición, de una inocencia aniquilada y de una religiosidad alienada y vacía de sentido, los *Poemas en prosa* han quedado como demostración ejemplar de una escritura compleja, bella e imaginativa, como un deslumbrante desembarco simbólico cuyo ritmo y técnicas verbales se deslizan entre paradojas, dualidades y contradicciones.

Por lo demás, y desde una perspectiva temporal, muchos de los elementos presentes en estos poemas en prosa serán la base que articule, un año después, los poemas de *Poeta en Nueva York*.

NADADORA SUMERGIDA
Pequeño homenaje a un cronista de salones

Yo he amado a dos mujeres que no me querían, y sin embargo no quise degollar a mi perro favorito. ¿No os parece, condesa, mi actitud una de las más puras que se pueden adoptar?

Ahora sé lo que es despedirse para siempre. El abrazo diario tiene brisa de molusco.

Este último abrazo de mi amor fue tan perfecto, que la gente cerró los balcones con sigilo. No me haga usted hablar, condesa. Yo estoy enamorado de una mujer que tiene medio cuerpo en la nieve del Norte. Una mujer amiga de los perros y fundamentalmente enemiga mía.

Nunca pude besarla a gusto. Se apagaba la luz, o ella se disolvía en el frasco de whisky. Yo entonces no era aficionado a la ginebra inglesa. Imagine usted, amiga mía, la calidad de mi dolor.

Una noche, el demonio puso horribles mis zapatos. Eran las tres de la madrugada. Yo tenía un bisturí atravesado en mi garganta y ella un largo pañuelo de seda. Miento. Era la cola de un caballo. La cola del invisible caballo que me había de arrastrar. Condesa: hace usted bien en apretarme la mano.

Empezamos a discutir. Yo me hice un arañazo en la frente y ella con gran destreza partió el cristal de su mejilla. Entonces nos abrazamos.

Ya sabe usted lo demás.

La orquesta lejana luchaba de manera dramática con las hormigas volantes.

Madame Barthou hacía irresistible la noche con sus enfermos diamantes del Cairo, y el traje violeta de Olga Montcha acusaba, cada minuto más palpable, su amor por el muerto Zar.

Margarita Gross y la españolísima Lola Cabeza de Vaca llevaban contadas más de mil olas sin ningún resultado.

En la costa francesa empezaban a cantar los asesinos de los marineros y los que roban la sal a los pescadores.

Condesa: aquel último abrazo tuvo tres tiempos y se desarrolló de manera admirable.

Desde entonces dejé la literatura vieja que yo había cultivado con gran éxito.

Es preciso romperlo todo para que los dogmas se purifiquen y las normas tengan nuevo temblor.

Es preciso que el elefante tenga ojos de perdiz y la perdiz pezuñas de unicornio.

Por un abrazo sé yo todas estas cosas y también por este gran amor que me desgarra el chaleco de seda.

¿No oye usted el vals americano? En Viena hay demasiados helados de turrón y demasiado intelectualismo. El vals americano es perfecto como una Escuela Naval. ¿Quiere usted que demos una vuelta por el baile?

A la mañana siguiente fue encontrada en la playa la condesa de X con un tenedor de ajenjo clavado en la nuca. Su muerte debió de ser instantánea. En la arena se encontró un papelito manchado de sangre que decía: «Puesto que no te puedes convertir en paloma, bien muerta estás».

Los policías suben y bajan las dunas montados en bicicleta.

Se asegura que la bella condesa X era muy aficionada a la natación, y que ésta ha sido la causa de su muerte.

De todas maneras podemos afirmar que se ignora el nombre de su maravilloso asesino.

AMANTES ASESINADOS POR UNA PERDIZ
Hommage a Guy de Maupassant

—Los dos lo han querido —me dijo su madre.

—¿Los dos...? No es posible, señora —dije yo—. Usted tiene demasiado temperamento y a su edad ya se sabe por qué caen los alfileres del rocío.

—Calle usted, Luciano, calle usted... No, no, Luciano, no.

—Para resistir este nombre, necesito contener el dolor de mis recuerdos. ¿Y usted cree que aquella pequeña dentadura y esa mano de niño que se han dejado olvidada dentro de la ola me pueden consolar de esta tristeza?

—Los dos lo han querido —me dijo su prima—. Los dos.

Me puse a mirar el mar y lo he comprendido todo.

—¿Será posible que del pico de esa paloma cruelísima que tiene corazón de elefante salga la palidez lunar de aquel trasatlántico que se aleja?

—Recuerdo que tuve que hacer varias veces uso de mi cuchara para defenderme de los lobos. Yo no tengo culpa ninguna; usted lo sabe. ¡Dios mío! Estoy llorando.

—Los dos lo han querido —dije yo—. Los dos. Una manzana será siempre un amante, pero un amante no podrá ser jamás una manzana.

—Por eso se han muerto, por eso. Con veinte ríos y un solo invierno desgarrado.

—Fue muy sencillo. Se amaban por encima de todos los museos.

Mano derecha,
con mano izquierda.
Mano izquierda,
con mano derecha.
Pie derecho,
con pie derecho.
Pie izquierdo,
con nube.
Cabello,
con planta de pie.
Planta de pie,
con mejilla izquierda.

¡Oh mejilla izquierda! ¡Oh, noroeste de barquitos y hormigas de mercurio! Dame el pañuelo, Genoveva; voy a llorar... Voy a llorar hasta que de mis ojos salga una muchedumbre de siemprevivas... Se acostaban.

No había otro espectáculo más tierno...

¿Me ha oído usted?

¡Se acostaban!

Muslo izquierdo,
con antebrazo izquierdo.
Ojos cerrados,
con uñas abiertas.
Cintura, con nuca
y con playa.

Y las cuatro orejitas eran cuatro ángeles en la choza de la nieve. Se querían. Se amaban. A pesar de la ley de la gravedad. La diferencia que existe entre una espina de rosa y una Start es sencillísima.

Cuando descubrieron esto, se fueron al campo.

—Se amaban.

¡Dios mío! Se amaban ante los ojos de los químicos.

Espalda con tierra,
tierra con anís.
Luna, con hombro dormido.

Y las cinturas se entrecruzaban una y otra con un rumor de vidrios.

Yo vi temblar sus mejillas cuando los profesores de la Universidad le traían miel y vinagre en una esponja diminuta. Muchas veces tenían que apartar a los perros que gemían por las yedras blanquísimas del lecho. Pero ellos se amaban.

Eran un hombre y una mujer,
o sea,
un hombre
y un pedacito de tierra,
un elefante
y un niño,
un niño y un junco.
Eran dos mancebos desmayados
y una pierna de níquel.
¡Eran los barqueros!
Sí.
Eran los terribles barqueros del Guadiana que machacan con sus remos todas las rosas del mundo.

El viejo marino escupió el tabaco de su boca y dio grandes voces para espantar a las gaviotas. Pero ya era demasiado tarde.

Cuando las mujeres enlutadas llegaron a casa del Gobernador, éste comía tranquilamente almendras verdes y pescados fríos en un exquisito plato de oro. Era preferible no haber hablado con él.

En las islas Azores.

Casi no puedo llorar.

Yo puse dos telegramas; pero desgraciadamente, ya era tarde.

Muy tarde.

Sólo sé deciros que los niños que pasaban por la orilla del bosque vieron una perdiz que echaba un hilito de sangre por el pico.

Ésta es la causa, querido capitán, de mi extraña melancolía.

DEGOLLACIÓN DE LOS INOCENTES

Tris tras. Zig zag, rig rag, milg malg. La piel era tan tierna que salía íntegra. Niños y nueces recién cuajados.

Los guerreros tenían raíces milenarias y el cielo cabelleras mecidas por el aliento de los anfibios. Era preciso cerrar las puertas. Pepito. Manolito. Enriquito. Eduardito. Jaimito. Emilito.

Cuando se vuelvan locas las madres querrán construir una fábrica de sombreros de pórfido, pero no podrán nunca con esta crueldad atenuar la ternura de sus pechos derramados.

Se arrollaban las alfombras. El aguijón de la abeja hacía posible el manejo de la espada.

Era necesario el crujir de huesos Y el romper las presas de los ríos.

Una jofaina y basta. Pero una jofaina que no se asuste del chorro interminable, que ha de sonar durante tres días.

Subían a las torres y descendían hasta las caracolas. Una luz de clínica venció al fin a la luz untosa del hospital. Ya era posible operar con todas garantías. Yodoformo y violeta, algodón y plata de otro mundo. ¡Vayan entrando! Hay personas que se arrojan desde las torres a los patios y otras desesperadas que se clavan tachuelas en las rodillas. La luz de la mañana era cortante y el viento aceitoso hacía posible la herida menos esperada.

Jorgito. Alvarito. Guillermito. Leopoldito. Julito. Joseíto. Luisito. Inocentes. El acero necesita calores para crear las nebulosas y ¡vamos a la hoja incansable! Es mejor ser medusa y flotar, que ser niño. ¡Alegrísima degollación! Función lógica de la sangre sin luz que sangra sus paredes.

Venían por las calles más alejadas. Cada perro llevaba un piececito en la boca. El pianista loco recogía uñas rosadas para construir un piano sin emoción y los rebaños balaban con los cuellos partidos.

Es necesario tener doscientos hijos y entregarlos a la degollación. Solamente de esta manera sería posible la autonomía del lirio silvestre.

¡Venid! ¡Venid! Aquí está mi hijo tiernísimo, mi hijo de cuello fácil. En el rellano de la escalera lo degollarás fácilmente.

Dicen que está inventando la navaja eléctrica para reanimar la operación.

¿Os acordáis del ruiseñor con las dos patitas rotas? Estaba entre los insectos, creadores de los estremecimientos y de las salivillas. Puntas de aguja. Y rayas de araña sobre las constelaciones. Da verdadera risa pensar en lo fría que está el agua. Agua fría por las arenas, cielos fríos y lomos de caimanes. Aquí en las calles corre lo más escondido, lo más gustoso, lo que tiñe los dientes y pone pálidas las uñas. Sangre. Con toda la fuerza de su g.

Si meditamos y somos llenos de piedad verdadera daremos la degollación como una de las grandes obras de misericordia. Misericordia de la sangre ciega que quiere, siguiendo la ley de su naturaleza, desembocar en el mar. No hubo siquiera ni una voz. El jefe de los hebreos atravesó la plaza para calmar a la multitud.

A las seis de la tarde ya no quedaban más que seis niños por degollar. Los relojes de arena seguían sangrando, pero ya estaban secas todas las heridas.

Toda la sangre estaba ya cristalizada cuando comenzaron a surgir los faroles. Nunca será en el mundo otra noche igual. Noche de vidrios y manecitas heladas.

Los senos se llenaban de leche inútil.

La leche maternal y la luna sostuvieron la batalla contra la sangre triunfadora. Pero la sangre ya se había adueñado de los mármoles y allí clavaba sus últimas raíces enloquecidas.

LA GALLINA
Cuento para niños tontos

Había una gallina que era idiota. He dicho idiota. Pero era más idiota todavía. Le picaba un mosquito y salía corriendo. Le picaba una avispa y salía corriendo. Le picaba un murciélago y salía corriendo.

Todas las gallinas temen a las zorras. Pero esta gallina quería ser devorada por ellas. Y es que la gallina era una idiota. No era una gallina. Era una idiota.

En las noches de invierno la luna de las aldeas da grandes bofetadas a las gallinas. Unas bofetadas que se sienten por las calles. Da mucha risa. Los curas no podrán comprender nunca por qué son estas bofetadas, pero Dios sí. Y las gallinas también.

Será menester que sepáis todos que Dios es un gran monte VIVO. Tiene una piel de moscas y encima una piel de avispas y encima una piel de golondrinas y encima una piel de lagartos y encima una piel de lombrices y encima una piel de hombres y encima una piel de leopardos y todo. ¿Veis todo? Pues todo y además una piel de gallinas. Esto era lo que no sabía nuestra amiga.

¡Da risa considerar lo simpáticas que son las gallinas! Todas tienen cresta. Todas tienen culo. Todas ponen huevos. ¿Y qué me vais a decir?

La gallina idiota odiaba los huevos. Le gustaban los gallos, es cierto, como les gusta a las manos derechas de las personas esas picaduras de las zarzas o la iniciación del alfilerazo. Pero ella odiaba su propio huevo. Y sin embargo no hay nada más hermoso que un huevo.

Recién sacado de las espigas, todavía caliente, es la perfección de la boca, el párpado y el lóbulo de la oreja. La mejilla caliente de la que acaba de morir. Es el rostro. ¿No lo entendéis? Yo sí. Lo dicen los cuentos japoneses, y algunas mujeres ignorantes también lo saben.

No quiero defender la belleza enjuta del huevo, pero ya que todo el mundo alaba la pulcritud del espejo y la alegría de los que se revuelcan en la hierba, bien está que yo defienda un huevo contra una gallina idiota.

Lo voy a decir: una gallina amiga de los hombres.

Una noche, la luna estaba repartiendo bofetadas a las gallinas. El mar y los tejados y las carboneras tenían la misma luz. Una luz donde el abejorro hubiera recibido las flechas de todo el mundo. Nadie dormía. Las gallinas no podían más. Tenían las crestas llenas de escarcha y los piojitos tocaban sus campanillitas eléctricas por el hueco de las bofetadas.

Un gallo se decidió al fin.

La gallina idiota se defendía.

El gallo bailó tres veces pero los gallos no saben enhebrar bien las agujas.

Tocaron las campanas de las torres porque tenían que tocar, y los cauces y los corredores y los que juegan al golf se pusieron tres veces morados y tintineantes. Empezó la lucha.

Gallo listo. Gallina idiota. Gallina lista. Gallo idiota. Listos los dos. Los dos idiotas. Gallo listo. Gallina idiota.

Luchaban. Luchaban. Luchaban. Así toda la noche. Y diez. Y veinte. Y un año. Y diez. Y siempre.

(1934)

243

POETA EN NUEVA YORK
(1929-1930)

Durante su estancia en Nueva York y Cuba entre junio de 1929 y junio de 1930, Lorca escribió la casi totalidad de poemas de este libro que saldría a la luz diez años más tarde, ya muerto su autor. La historia textual de la obra es compleja, ya que su aparición póstuma en 1940 tuvo dos ediciones simultáneas (no idénticas): una en Nueva York (bilingüe, con traducción al inglés de Rolfe Humphries) y otra en México (Ed. Séneca), al cuidado de Bergamín. En ambas se recogía una gran parte de los poemas recitados y dados a conocer por el autor granadino durante los años de la República, pero la falta de unidad y de criterio en las dos selecciones llevó al profesor Eutimio Martín, en 1981, a proponer la división del libro en dos: *Poeta en Nueva York* y *Tierra y luna*. Esta propuesta, nunca definitiva, y el consecuente debate que suscitó quedaron resueltos en el año 2000 con la aparición del manuscrito original (tres autógrafos, copias mecanografiadas con correcciones, versiones impresas de cuatro poemas y notas indicativas de Lorca) que su autor dejó sobre la mesa de José Bergamín, en el despacho de la redacción de *Cruz y Raya*, el 17 de julio de 1936, antes de salir para Granada.

Como se detalla en la introducción de esta antología, tras el desgarro producido por una ruptura amorosa y una crisis estética provocada asimismo por el éxito y la crítica de *Romancero gitano*, el poeta aprovecha la ocasión de ausentarse de España y viaja a Nueva York con su amigo y maestro Fernando de los Ríos. El impacto que le provoca la metrópoli, la ciudad gigantesca que enseña sus fauces de cemento y acero, dispara y desborda la hasta ahora intimidad del poeta, le conduce a un lenguaje desligado del control lógico, al verso libre y a la ampliación de un caudal simbólico cada vez más rico y complejo. Los temas que ocupan ahora la obra de Lorca insisten en el acervo anterior o se suman a él: la soledad, la muerte, la búsqueda de la identidad, la infancia perdida, el drama de una homosexualidad no aceptada, la alienación, la denuncia de la gran urbe a través de una serie de dualidades y contrarios: naturaleza/civilización, campo/ciudad, negros/blancos, oprimidos/opresores... Junto con el descubrimiento de un mundo oscuro y vacío, inhumano hasta la desesperación, García Lorca se abre al encuentro con los que, como él, como los gitanos, sufren algún tipo de marginación: los negros, los oprimidos, los seres minúsculos que habitan la cara oculta de la gran ciudad.

VUELTA DE PASEO

Asesinado por el cielo.
Entre las formas que van hacia la sierpe
y las formas que buscan el cristal,
dejaré crecer mis cabellos.

5   Con el árbol de muñones que no canta
y el niño con el blanco rostro de huevo.

Con los animalitos de cabeza rota
y el agua harapienta de los pies secos.

Con todo lo que tiene cansancio sordomudo
10   y mariposa ahogada en el tintero.

Tropezando con mi rostro distinto cada día.
¡Asesinado por el cielo!

1910
Intermedio

Aquellos ojos míos de mil novecientos diez
no vieron enterrar a los muertos

ni la feria de ceniza del que llora por la madrugada
ni el corazón que tiembla arrinconado como un
    caballito de mar

5   Aquellos ojos míos de mil novecientos diez
vieron la blanca pared donde orinaban las niñas,
el hocico del toro, la seta venenosa
y una luna incomprensible que iluminaba por los
    rincones
los pedazos de limón seco bajo el negro duro de las
    botellas.

10   Aquellos ojos míos en el cuello de la jaca,
en el seno traspasado de Santa Rosa dormida,
en los tejados del amor con gemidos y frescas
    manos,
en un jardín donde los gatos se comían a las ranas.

Desván donde el polvo viejo congrega estatuas y
    musgos.
15   Cajas que guardan silencio de cangrejos devorados
en el sitio donde el sueño tropezaba con su realidad.
Allí mis pequeños ojos.

No preguntarme nada. He visto que las cosas
cuando buscan su curso encuentran su vacío.
20   Hay un dolor de huecos por el aire sin gente
y en mis ojos criaturas vestidas ¡sin desnudo!

New York, agosto 1929

TU INFANCIA EN MENTON

Sí, tu niñez: ya fábula de fuentes.
Jorge Guillén

Sí, tu niñez: ya fábula de fuentes.
El tren y la mujer que llena el cielo.
Tu soledad esquiva en los hoteles
y tu máscara pura de otro signo.
5   Es la niñez del mar y tu silencio
donde los sabios vidrios se quebraban.
Es tu yerta ignorancia donde estuvo
mi torso limitado por el fuego.
Norma de amor te di, hombre de Apolo,
10   llanto con ruiseñor enajenado,
pero, pasto de ruinas, te afilabas
para los breves sueños indecisos.
Pensamiento de enfrente, luz de ayer,
índices y señales del acaso.
15   Tu cintura de arena sin sosiego
atiende sólo rastros que no escalan.
Pero yo he de buscar por los rincones
tu alma tibia sin ti que no te entiende,
con el dolor de Apolo detenido
20   con que he roto la máscara que llevas.
Allí, león, allí, furia del cielo,
te dejaré pacer en mis mejillas;
allí, caballo azul de mi locura,
pulso de nebulosa y minutero.
25   He de buscar las piedras de alacranes
y los vestidos de tu madre niña,
llanto de medianoche y paño roto
que quitó luna de la sien del muerto.
Sí, tu niñez: ya fábula de fuentes.
30   Alma extraña de mi hueco de venas,

te he de buscar pequeña y sin raíces.
¡Amor de siempre, amor, amor de nunca!
¡Oh, sí! Yo quiero. ¡Amor, amor! Dejadme.
No me tapen la boca los que buscan
35 espigas de Saturno por la nieve
o castran animales por un cielo,
clínica y selva de la anatomía.
Amor, amor, amor. Niñez del mar.
Tu alma tibia sin ti que no te entiende.
40 Amor, amor, un vuelo de la corza
por el pecho sin fin de la blancura.
Y tu niñez, amor, y tu niñez.
El tren y la mujer que llena el cielo.
Ni tú, ni yo, ni el aire, ni las hojas.
45 Sí, tu niñez: ya fábula de fuentes.

NORMA Y PARAÍSO DE LOS NEGROS

Odian la sombra del pájaro
sobre el pleamar de la blanca mejilla
y el conflicto de luz y viento
en el salón de la nieve fría.

5 Odian la flecha sin cuerpo,
el pañuelo exacto de la despedida,
la aguja que mantiene presión y rosa
en el gramíneo rubor de la sonrisa.

Aman el azul desierto,
10 las vacilantes expresiones bovinas,
la mentirosa luna de los polos,
la danza curva del agua en la orilla.

Con la ciencia del tronco y el rastro
llenan de nervios luminosos la arcilla

15 y patinan lúbricos por aguas y arenas
    gustando la amarga frescura de su milenaria saliva.

    Es por el azul crujiente,
    azul sin un gusano ni una huella dormida,
    donde los huevos de avestruz quedan eternos
20 y deambulan intactas las lluvias bailarinas.

    Es por el azul sin historia,
    azul de una noche sin temor de día,
    azul donde el desnudo del viento va quebrando
    los camellos sonámbulos de las nubes vacías.

25 Es allí donde sueñan los torsos bajo la gula de la
       hierba.
    Allí los corales empapan la desesperación de la tinta,
    los durmientes borran sus perfiles bajo la madeja de
       los caracoles
    y queda el hueco de la danza sobre las últimas
       cenizas.

EL REY DE HARLEM

A Bebé y Carlos Morla

    Con una cuchara de palo
    le arrancaba los ojos a los cocodrilos
    y golpeaba el trasero de los monos.
    Con una cuchara de palo.

5   Fuego de siempre dormía en los pedernales
    y los escarabajos borrachos de anís
    olvidaban el musgo de las aldeas.

Aquel viejo cubierto de setas
iba al sitio donde lloraban los negros
10   mientras crujía la cuchara del rey
y llegaban los tanques de agua podrida.

Las rosas huían por los filos
de las últimas curvas del aire,
y en los montones de azafrán
15   los niños machacaban pequeñas ardillas
con un rubor de frenesí manchado.

*

Es preciso cruzar los puentes
y llegar al rumor negro
para que el perfume de pulmón
20   nos golpee las sienes con su vestido
de caliente piña.

Es preciso matar al rubio vendedor de
            aguardiente,
a todos los amigos de la manzana y la arena;
y es necesario dar con los puños cerrados
25   a las pequeñas judías que tiemblan llenas de
            burbujas,
para que el rey de Harlem cante con su
            muchedumbre,
para que los cocodrilos duerman en largas filas
bajo el amianto de la luna,
y para que nadie dude la infinita belleza
30   de los plumeros, los ralladores,
los cobres y las cacerolas de las cocinas.

¡Ay, Harlem! ¡Ay, Harlem! ¡Ay, Harlem!
No hay angustia comparable a tus rojos oprimidos,

a tu sangre estremecida dentro de tu eclipse
    oscuro,
35 a tu violencia granate, sordomuda en la penumbra,
a tu gran rey prisionero en un traje de conserje.

*

Tenía la noche una hendidura
y quietas salamandras de marfil.
Las muchachas americanas
40 llevaban niños y monedas en el vientre
y los muchachos se desmayaban
en la cruz del desperezo.

Ellos son.
Ellos son los que beben el whisky de plata
45 junto a los volcanes
y tragan pedacitos de corazón
por las heladas montañas del oso.
Aquella noche el rey de Harlem,
con una durísima cuchara,
50 le arrancaba los ojos a los cocodrilos
y golpeaba el trasero de los monos.
Con una durísima cuchara.
Los negros lloraban confundidos
entre paraguas y soles de oro;
55 los mulatos estiraban gomas,
ansiosos de llegar al torso blanco,
y el viento empañaba espejos
y quebraba las venas de los bailarines.

¡Negros! ¡Negros! ¡Negros! ¡Negros!

60 La sangre no tiene puertas en vuestra noche boca
    arriba.

No hay rubor. Sangre furiosa por debajo de las
    pieles,
viva en la espina del puñal y en el pecho de los
    paisajes,
bajo las pinzas y las retamas de la celeste luna de
    Cáncer.

Sangre que busca por mil caminos
65 muertes enharinadas y ceniza de nardo,
cielos yertos, en declive, donde las colonias de
    planetas
rueden por las playas, con los objetos
    abandonados.

Sangre que mira lenta con el rabo del ojo,
hecha de espartos exprimidos, néctares de
    subterráneos.
70 Sangre que oxida al alisio descuidado en una
    huella
y disuelve a las mariposas en los cristales de la
    ventana.

Es la sangre que viene, que vendrá
por los tejados y azoteas, por todas partes,
para quemar la clorofila de las mujeres rubias,
75 para gemir al pie de las camas,
ante el insomnio de los lavabos,
y estrellarse en una aurora de tabaco y bajo
    amarillo.

¡Hay que huir!,
huir por las esquinas y encerrarse en los últimos
    pisos,
80 porque el tuétano del bosque penetrará por las
    rendijas

para dejar en vuestra carne una leve huella de
    eclipse
y una falsa tristeza de guante desteñido y rosa
    química.

*

Es por el silencio sapientísimo
cuando los cocineros y los camareros
85   y los que limpian con la lengua
las heridas de los millonarios
buscan al rey por las calles
o en los ángulos del salitre.

Un viento sur de madera oblicuo en el negro fango
90   escupe a las barcas rotas
y se clava puntillas en los hombros.
Un viento sur que lleva colmillos, girasoles,
    alfabetos
y una pila de Volta con avispas ahogadas.

El olvido estaba expresado
95   por tres gotas de tinta sobre el monóculo.
El amor, por un solo rostro invisible a flor de
    piedra.
Médulas y corolas componían sobre las nubes
un desierto de tallos, sin una sola rosa.

A la izquierda, a la derecha,
100 por el Sur y por el Norte,
se levanta el muro impasible
para el topo y la aguja del agua.
No busquéis, negros, su grieta
para hallar la máscara infinita.
105 Buscad el gran sol del centro

hechos una piña zumbadora.
El sol que se desliza por los bosques
seguro de no encontrar una ninfa.
El sol que destruye números
110   y no ha cruzado nunca un sueño,
el tatuado sol que baja por el río
y muge seguido de caimanes.

¡Negros! ¡Negros! ¡Negros! ¡Negros!
Jamás sierpe, ni cebra, ni mula,
115   palidecieron al morir.
El leñador no sabe cuándo expiran
los clamorosos árboles que corta.
Aguardad bajo la sombra vegetal de vuestro rey
a que cicutas y cardos y ortigas turben postreras
     azoteas.

120   Entonces, negros, entonces, entonces,
podréis besar con frenesí las ruedas de las
     bicicletas,
poner parejas de microscopios en las cuevas de las
     ardillas
y danzar al fin sin duda, mientras las flores
     erizadas
asesinan a nuestro Moisés casi en los juncos del
     cielo.

125   ¡Ay Harlem disfrazada!
¡Ay Harlem, amenazada por un gentío de trajes sin
     cabeza!
Me llega tu rumor.
Me llega tu rumor atravesando troncos y
     ascensores,
a través de láminas grises
130   donde flotan tus automóviles cubiertos de dientes,

a través de los caballos muertos y los crímenes
   diminutos,
a través de tu gran rey desesperado
cuyas barbas llegan al mar.

DANZA DE LA MUERTE

El mascarón. Mirad el mascarón
cómo viene del África a New York.

Se fueron los árboles de la pimienta,
los pequeños botones de fósforo.
5   Se fueron los camellos de carne desgarrada
y los valles de luz que el cisne levantaba con el pico.

Era el momento de las cosas secas:
de la espiga en el ojo y el gato laminado,
del óxido de hierro de los grandes puentes
10   y el definitivo silencio del corcho.

Era la gran reunión de los animales muertos,
traspasados por las espadas de la luz.
La alegría eterna del hipopótamo con las pezuñas
   de ceniza
y de la gacela con una siempreviva en la garganta.

15   En la marchita soledad sin onda
el abollado mascarón danzaba.
Medio lado del mundo era de arena,
mercurio y sol dormido el otro medio.

El mascarón. ¡Mirad el mascarón!
20   Arena, caimán y miedo sobre Nueva York.

Desfiladeros de cal aprisionaban un cielo vacío
donde sonaban las voces de los que mueren bajo el
        guano.
Un cielo mondado y puro, idéntico a sí mismo,
con el bozo y lirio agudo de sus montañas invisibles,
25   acabó con los más leves tallitos del canto
y se fue al diluvio empaquetado de la savia,
a través del descanso de los últimos perfiles,
levantando con el rabo pedazos de espejo.

Cuando el chino lloraba en el tejado
30   sin encontrar el desnudo de su mujer,
y el director del banco observaba el manómetro
que mide el cruel silencio de la moneda,
el mascarón llegaba a Wall Street.

No es extraño para la danza
35   este columbario que pone los ojos amarillos.
De la esfinge a la caja de caudales hay un hilo tenso
que atraviesa el corazón de todos los niños pobres.
El ímpetu primitivo baila con el ímpetu mecánico,
ignorantes en su frenesí de la luz original.
40   Porque si la rueda olvida su fórmula,
ya puede cantar desnuda con las manadas de caballos;
y si una llama quema los helados proyectos,
el cielo tendrá que huir ante el tumulto de las
        ventanas.

No es extraño este sitio para la danza. Yo lo digo.
45   El mascarón bailará entre columnas de sangre y de
        números,
entre huracanes de oro y gemidos de obreros parados
que aullarán, noche oscura, por tu tiempo sin luces.

¡Oh salvaje Norteamérica, oh impúdica! ¡Oh salvaje,
tendida en la frontera de la nieve!

50   El mascarón. ¡Mirad el mascarón!
¡Qué ola de fango y luciérnagas sobre Nueva York!

*

Yo estaba en la terraza luchando con la luna.
Enjambres de ventanas acribillaban un muslo de la
    noche.
En mis ojos bebían las dulces vacas de los cielos
55   y las brisas de largos remos
golpeaban los cenicientos cristales del Broadway.

La gota de sangre buscaba la luz de la yema del astro
para fingir una muerta semilla de manzana.
El aire de la llanura, empujado por los pastores,
60   temblaba con un miedo de molusco sin concha.

Pero no son los muertos los que bailan.
Estoy seguro.
Los muertos están embebidos,
devorando sus propias manos.
65   Son los otros los que bailan
con el mascarón y su vihuela.
Son los otros, los borrachos de plata, los hombres
    fríos,
los que crecen en el cruce de los muslos y llamas
    duras,
los que buscan la lombriz en el paisaje de las escaleras,
70   los que beben en el banco lágrimas de niña muerta
o los que comen por las esquinas diminutas
    pirámides del alba.

¡Que no baile el Papa!
¡No, que no baile el Papa!
Ni el Rey,
75 ni el millonario de dientes azules,
ni las bailarinas secas de las catedrales,
ni constructores, ni esmeraldas, ni locos, ni
    sodomitas.
Sólo este mascarón.
Este mascarón de vieja escarlatina.
80 ¡Sólo este mascarón!

Que ya las cobras silbarán por los últimos pisos.
Que ya las ortigas estremecerán patios y terrazas.
Que ya la Bolsa será una pirámide de musgo.
Que ya vendrán lianas después de los fusiles
85 y muy pronto, muy pronto, muy pronto.
¡Ay, Wall Street!

El mascarón. ¡Mirad el mascarón!
¡Cómo escupe veneno de bosque
por la angustia imperfecta de Nueva York!

Diciembre 1929

PAISAJE DE LA MULTITUD QUE VOMITA
Anochecer en Coney Island

La mujer gorda venía delante
arrancando las raíces y mojando el pergamino de los
    tambores;
la mujer gorda
que vuelve del revés los pulpos agonizantes.
5 La mujer gorda, enemiga de la luna,
corría por las calles y los pisos deshabitados

262

y dejaba por los rincones pequeñas calaveras de
　　paloma
y levantaba las furias de los banquetes de los siglos
　　últimos
y llamaba al demonio del pan
10　por las colinas del cielo barrido
y filtraba un ansia de luz
en las circulaciones subterráneas.

Son los cementerios. Lo sé. Son los cementerios
y el dolor de las cocinas enterradas bajo la arena.
15　Son los muertos, los faisanes y las manzanas de otra
　　hora
los que nos empujan en la garganta.

Llegaban los rumores de la selva del vómito
con las mujeres vacías, con niños de cera caliente,
con árboles fermentados y camareros incansables
20　que sirven platos de sal bajo las arpas de la saliva.
Sin remedio, hijo mío, ¡vomita! No hay remedio.
No es el vómito de los húsares sobre los pechos de
　　la prostituta,
ni el vómito del gato que se tragó una rana por
　　descuido.
Son los muertos que arañan con sus manos de
　　tierra
25　las puertas de pedernal donde se pudren nublos y
　　postres.

La mujer gorda venía delante
con las gentes de los barcos, de las tabernas y de los
　　jardines.
El vómito agitaba delicadamente sus tambores
entre algunas niñas de sangre
30　que pedían protección a la luna.

¡Ay de mí! ¡Ay de mí! ¡Ay de mí!
Esta mirada mía fue mía, pero ya no es mía,
esta mirada que tiembla desnuda por el alcohol
y despide barcos increíbles
35 por las anémonas de los muelles.
Me defiendo con esta mirada
que mana de las ondas por donde el alba no se atreve.
Yo, poeta sin brazos, perdido
entre la multitud que vomita,
40 sin caballo efusivo que corte
los espesos musgos de mis sienes.

Pero la mujer gorda seguía delante
y la gente buscaba las farmacias
donde el amargo trópico se fija.
45 Sólo cuando izaron la bandera y llegaron los
primeros canes
la ciudad entera se agolpó en las barandillas del
embarcadero.

New York, 29 de diciembre de 1929

CIUDAD SIN SUEÑO
Nocturno de Brooklyn Bridge

No duerme nadie por el cielo. Nadie, nadie.
No duerme nadie.
Las criaturas de la luna huelen y rondan sus cabañas.
Vendrán las iguanas vivas a morder a los hombres
que no sueñan
5 y el que huye con el corazón roto encontrará por las
esquinas
al increíble cocodrilo quieto bajo la tierna protesta
de los astros.

No duerme nadie por el mundo. Nadie, nadie.
No duerme nadie.
Hay un muerto en el cementerio más lejano
10   que se queja tres años
porque tiene un paisaje seco en la rodilla
y el niño que enterraron esta mañana lloraba tanto
que hubo necesidad de llamar a los perros para que
    callase.

No es sueño la vida. ¡Alerta! ¡Alerta! ¡Alerta!
15   Nos caemos por las escaleras para comer la tierra
    húmeda
o subimos al filo de la nieve con el coro de las dalias
    muertas.
Pero no hay olvido, ni sueño:
carne viva. Los besos atan las bocas
en una maraña de venas recientes
20   y al que le duele su dolor le dolerá sin descanso
y al que teme la muerte la llevará sobre sus hombros.

Un día
los caballos vivirán en las tabernas
y las hormigas furiosas
25   atacarán los cielos amarillos que se refugian en los
    ojos de las vacas.
Otro día
veremos la resurrección de las mariposas disecadas
y aun andando por un paisaje de esponjas grises y
    barcos mudos
veremos brillar nuestro anillo y manar rosas de
    nuestra lengua.
30   ¡Alerta! ¡Alerta! ¡Alerta!
A los que guardan todavía huellas de zarpa y
    aguacero,

a aquel muchacho que llora porque no sabe la
    invención del puente
o a aquel muerto que ya no tiene más que la cabeza
    y un zapato,
hay que llevarlos al muro donde iguanas y sierpes
    esperan,
35 donde espera la dentadura del oso,
donde espera la mano momificada del niño
y la piel del camello se eriza con un violento
    escalofrío azul.

No duerme nadie por el cielo. Nadie, nadie.
No duerme nadie.
40 Pero si alguien cierra los ojos,
¡azotadlo, hijos míos, azotadlo!
Haya un panorama de ojos abiertos
y amargas llagas encendidas.
No duerme nadie por el mundo. Nadie, nadie.
45 Ya lo he dicho.
No duerme nadie.
Pero si alguien tiene por la noche exceso de musgo
    en las sienes,
abrid los escotillones para que vea bajo la luna
las copas falsas, el veneno y la calavera de los teatros.

NACIMIENTO DE CRISTO

Un pastor pide teta por la nieve que ondula
blancos perros tendidos entre linternas sordas.
El Cristito de barro se ha partido los dedos
en los tilos eternos de la madera rota.

5 ¡Ya vienen las hormigas y los pies ateridos!
Dos hilillos de sangre quiebran el cielo duro.

266

Los vientres del demonio resuenan por los valles
golpes y resonancias de carne de molusco.

10   Lobos y sapos cantan en las hogueras verdes
coronadas por vivos hormigueros del alba.
La luna tiene un sueño de grandes abanicos
y el toro sueña un toro de agujeros y de agua.

El niño llora y mira con un tres en la frente,
San José ve en el heno tres espigas de bronce.
15   Los pañales exhalan un rumor de desierto
con cítaras sin cuerdas y degolladas voces.

La nieve de Manhattan empuja los anuncios
y lleva gracia pura por las falsas ojivas.
Sacerdotes idiotas y querubes de pluma
20   van detrás de Lutero por las altas esquinas.

LA AURORA

La aurora de Nueva York tiene
cuatro columnas de cieno
y un huracán de negras palomas
que chapotean las aguas podridas.

5   La aurora de Nueva York gime
por las inmensas escaleras
buscando entre las aristas
nardos de angustia dibujada.

La aurora llega y nadie la recibe en su boca
10   porque allí no hay mañana ni esperanza posible.
A veces las monedas en enjambres furiosos
taladran y devoran abandonados niños.

Los primeros que salen comprenden con sus huesos
que no habrá paraísos ni amores deshojados;
15 saben que van al cieno de números y leyes,
a los juegos sin arte, a sudores sin fruto.

La luz es sepultada por cadenas y ruidos
en impúdico reto de ciencia sin raíces.
Por los barrios hay gentes que vacilan insomnes
20 como recién salidas de un naufragio de sangre.

NIÑA AHOGADA EN EL POZO
Granada y Newburgh

Las estatuas sufren por los ojos con la oscuridad de
    los ataúdes,
pero sufren mucho más por el agua que no
    desemboca.
... que no desemboca.

El pueblo corría por las almenas rompiendo las
    cañas de los pescadores.
5 ¡Pronto! ¡Los bordes! ¡Deprisa! Y croaban las
    estrellas tiernas.
... que no desemboca.

Tranquila en mi recuerdo, astro, círculo, meta,
lloras por las orillas de un ojo de caballo.
... que no desemboca.

10 Pero nadie en lo oscuro podrá darte distancias,
sin afilado límite: porvenir de diamante,
... que no desemboca.

Mientras la gente busca silencios de almohada
tú lates para siempre definida en tu anillo,
15   … que no desemboca.

Eterna en los finales de unas ondas que aceptan
combate de raíces y soledad prevista,
, … que no desemboca.

¡Ya vienen por las rampas! ¡Levántate del agua!
20   ¡Cada punto de luz te dará una cadena!
… que no desemboca.

Pero el pozo te alarga manecitas de musgo,
insospechada ondina de su propia ignorancia,
… que no desemboca.

25   No, que no desemboca. Agua fija en un punto,
respirando con todos sus violines sin cuerdas
en la escala de las heridas y los edificios
        deshabitados.
¡Agua que no desemboca!

MUERTE

A Luis de la Serna

¡Qué esfuerzo!
¡Qué esfuerzo del caballo por ser perro!
¡Qué esfuerzo del perro por ser golondrina!
¡Qué esfuerzo de la golondrina por ser abeja!
5   ¡Qué esfuerzo de la abeja por ser caballo!
Y el caballo,
¡qué flecha aguda exprime de la rosa!,
¡qué rosa gris levanta de su belfo!
Y la rosa,

10   ¡qué rebaño de luces y alaridos
     ata en el vivo azúcar de su tronco!
     Y el azúcar,
     ¡qué puñalitos sueña en su vigilia!
     y los puñales diminutos
15   ¡qué luna sin establos, qué desnudos!,
     piel eterna y rubor, andan buscando.
     Y yo, por los aleros,
     ¡qué serafín de llamas busco y soy!
     Pero el arco de yeso,
20   ¡qué grande, qué invisible, qué diminuto!,
     sin esfuerzo.

LUNA Y PANORAMA DE LOS INSECTOS
Poema de amor

> *La luna en el mar riela,*
> *en la lona gime el viento*
> *y alza en blando movimiento*
> *olas de plata y azul.*
>   ESPRONCEDA

Mi corazón tendría la forma de un zapato
si cada aldea tuviera una sirena.
Pero la noche es interminable cuando se apoya en
   los enfermos
y hay barcos que buscan ser mirados para poder
   hundirse tranquilos.

5   Si el aire sopla blandamente
    mi corazón tiene la forma de una niña.
    Si el aire se niega a salir de los cañaverales
    mi corazón tiene la forma de una milenaria boñiga
       de toro.

Bogar, bogar, bogar, bogar,
10   hacia el batallón de puntas desiguales,
hacia un paisaje de acechos pulverizados.
Noche igual de la nieve, de los sistemas suspendidos.
Y la luna.
¡La luna!
15   Pero no la luna.
La raposa de las tabernas,
el gallo japonés que se comió los ojos,
las hierbas masticadas.

No nos salvan las solitarias en los vidrios,
20   ni los herbolarios donde el metafísico
encuentra las otras vertientes del cielo.
Son mentira las formas. Sólo existe
el círculo de bocas del oxígeno.
Y la luna.
25   Pero no la luna.
Los insectos,
los muertos diminutos por las riberas,
dolor en longitud,
yodo en un punto,
30   las muchedumbres en el alfiler,
el desnudo que amasa la sangre de todos,
y mi amor que no es un caballo ni una quemadura,
criatura de pecho devorado.
¡Mi amor!

35   Ya cantan, gritan, gimen: Rostro. ¡Tu rostro! Rostro.
Las manzanas son unas,
las dalias son idénticas,
la luz tiene un sabor de metal acabado
y el campo de todo un lustro cabrá en la mejilla de
        la moneda.
40   Pero tu rostro cubre los cielos del banquete.

¡Ya cantan!, ¡gritan!, ¡gimen!,
¡cubren!, ¡trepan!, ¡espantan!

Es necesario caminar, ¡de prisa!, por las ondas, por
    las ramas,
por las calles deshabitadas de la edad media que
    bajan al río,
45   por las tiendas de las pieles donde suena un cuerno
    de vaca herida,
por las escalas, ¡sin miedo!, por las escalas.
Hay un hombre descolorido que se está bañando en
    el mar;
es tan tierno que los reflectores le comieron jugando
    el corazón.
Y en el Perú viven mil mujeres, ¡oh insectos!, que
    noche y día
50   hacen nocturnos y desfiles entrecruzando sus
    propias venas.

Un diminuto guante corrosivo me detiene. ¡Basta!
En mi pañuelo he sentido el tris
de la primera vena que se rompe.
Cuida tus pies, amor mío, ¡tus manos!,
55   ya que yo tengo que entregar mi rostro,
mi rostro, ¡mi rostro!, ¡ay, mi comido rostro!

Este fuego casto para mi deseo,
esta confusión por anhelo de equilibrio,
este inocente dolor de pólvora en mis ojos,
60   aliviará la angustia de otro corazón
devorado por las nebulosas.

No nos salva la gente de las zapaterías,
ni los paisajes que se hacen música al encontrar las
    llaves oxidadas.

Son mentira los aires. Sólo existe
65   una cunita en el desván
que recuerda todas las cosas.
Y la luna.
Pero no la luna.
Los insectos,
70   los insectos solos,
crepitantes, mordientes, estremecidos, agrupados,
y la luna
con un guante de humo sentada en la puerta de sus
        derribos.
¡¡La luna!!

New York. 4 de enero de 1930

NUEVA YORK
Oficina y denuncia

A Fernando Vela

Debajo de las multiplicaciones
hay una gota de sangre de pato;
debajo de las divisiones
hay una gota de sangre de marinero;
5   debajo de las sumas, un río de sangre tierna.
Un río que viene cantando
por los dormitorios de los arrabales,
y es plata, cemento o brisa
en el alba mentida de New York.
10   Existen las montañas. Lo sé.
Y los anteojos para la sabiduría.
Lo sé. Pero yo no he venido a ver el cielo.
He venido para ver la turbia sangre,
la sangre que lleva las máquinas a las cataratas

15   y el espíritu a la lengua de la cobra.
     Todos los días se matan en New York
     cuatro millones de patos,
     cinco millones de cerdos,
     dos mil palomas para el gusto de los agonizantes,
20   un millón de vacas,
     un millón de corderos
     y dos millones de gallos,
     que dejan los cielos hechos añicos.

     Más vale sollozar afilando la navaja
25   o asesinar a los perros en las alucinantes cacerías,
     que resistir en la madrugada
     los interminables trenes de leche,
     los interminables trenes de sangre
     y los trenes de rosas maniatadas
30   por los comerciantes de perfumes.
     Los patos y las palomas
     y los cerdos y los corderos
     ponen sus gotas de sangre
     debajo de las multiplicaciones,
35   y los terribles alaridos de las vacas estrujadas
     llenan de dolor el valle
     donde el Hudson se emborracha con aceite.

     Yo denuncio a toda la gente
     que ignora la otra mitad,
40   la mitad irredimible
     que levanta sus montes de cemento
     donde laten los corazones
     de los animalitos que se olvidan
     y donde caeremos todos
45   en la última fiesta de los taladros.
     Os escupo en la cara.
     La otra mitad me escucha

devorando, cantando, volando en su pureza
como los niños en las porterías
50   que llevan frágiles palitos
a los huecos donde se oxidan
las antenas de los insectos.
No es el infierno, es la calle.
No es la muerte, es la tienda de frutas.
55   Hay un mundo de ríos quebrados y distancias
        inasibles
en la patita de ese gato quebrada por un automóvil,
y yo oigo el canto de la lombriz
en el corazón de muchas niñas.
Óxido, fermento, tierra estremecida.
60   Tierra tú mismo que nadas por los números de la
        oficina.
¿Qué voy a hacer? ¿Ordenar los paisajes?
¿Ordenar los amores que luego son fotografías,
que luego son pedazos de madera y bocanadas de
        sangre?
No, no; yo denuncio.
65   Yo denuncio la conjura
de estas desiertas oficinas
que no radian las agonías,
que borran los programas de la selva,
y me ofrezco a ser comido por las vacas estrujadas
70   cuando sus gritos llenan el valle
donde el Hudson se emborracha con aceite.

GRITO HACIA ROMA
Desde la torre del Chrysler Building

Manzanas levemente heridas
por finos espadines de plata,
nubes rasgadas por una mano de coral

que lleva en el dorso una almendra de fuego,
5   peces de arsénico como tiburones,
tiburones como gotas de llanto para cegar una
    multitud,
rosas que hieren
y agujas instaladas en los caños de la sangre,
mundos enemigos y amores cubiertos de gusanos,
10 caerán sobre ti. Caerán sobre la gran cúpula
que unta de aceite las lenguas militares,
donde un hombre se orina en una deslumbrante
    paloma
y escupe carbón machacado
rodeado de miles de campanillas.

15 Porque ya no hay quien reparta el pan ni el vino,
ni quien cultive hierbas en la boca del muerto,
ni quien abra los linos del reposo,
ni quien llore por las heridas de los elefantes.
No hay más que un millón de herreros
20 forjando cadenas para los niños que han de venir.
No hay más que un millón de carpinteros
que hacen ataúdes sin cruz.
No hay más que un gentío de lamentos
que se abren las ropas en espera de la bala.
25 El hombre que desprecia la paloma debía hablar,
debía gritar desnudo entre las columnas,
y ponerse una inyección para adquirir la lepra
y llorar un llanto tan terrible
que disolviera sus anillos y sus teléfonos de diamante.
30 Pero el hombre vestido de blanco
ignora el misterio de la espiga,
ignora el gemido de la parturienta,
ignora que Cristo puede dar agua todavía,
ignora que la moneda quema el beso de prodigio
35 y da la sangre del cordero al pico idiota del faisán.

Los maestros enseñan a los niños
una luz maravillosa que viene del monte;
pero lo que llega es una reunión de cloacas
donde gritan las oscuras ninfas del cólera.
40   Los maestros señalan con devoción las enormes
       cúpulas sahumadas,
pero debajo de las estatuas no hay amor.
No hay amor bajo los ojos de cristal definitivo.
El amor está en las carnes desgarradas por la sed,
en la choza diminuta que lucha con la inundación;
45   el amor está en los fosos donde luchan las sierpes
       del hambre,
en el triste mar que mece los cadáveres de las
       gaviotas
y en el oscurísimo beso punzante debajo de las
       almohadas.
Pero el viejo de las manos traslúcidas
dirá: amor, amor, amor,
50   aclamado por millones de moribundos.
Dirá: amor, amor, amor,
entre el tisú estremecido de ternura;
dirá: paz, paz, paz,
entre el tirite de cuchillos y melones de dinamita;
55   dirá: amor, amor, amor,
hasta que se le pongan de plata los labios.

Mientras tanto, mientras tanto, ¡ay!, mientras tanto,
los negros que sacan las escupideras,
los muchachos que tiemblan bajo el terror pálido de
       los directores,
60   las mujeres ahogadas en aceites minerales,
la muchedumbre de martillo, de violín o de nube,
ha de gritar aunque le estrellen los sesos en el muro,
ha de gritar frente a las cúpulas,

ha de gritar loca de fuego,
65 ha de gritar loca de nieve,
ha de gritar con la cabeza llena de excremento,
ha de gritar como todas las noches juntas,
ha de gritar con voz tan desgarrada
hasta que las ciudades tiemblen como niñas
70 y rompan las prisiones del aceite y la música.
Porque queremos el pan nuestro de cada día,
flor de aliso y perenne ternura desgranada,
porque queremos que se cumpla la voluntad de la
    Tierra
que da sus frutos para todos.

ODA A WALT WHITMAN

Por el East River y el Bronx
los muchachos cantaban enseñando sus cinturas.
Con la rueda, el aceite, el cuero y el martillo,
noventa mil mineros sacaban la plata de las rocas
5 y los niños dibujaban escaleras y perspectivas.

Pero ninguno se dormía,
ninguno quería ser río,
ninguno amaba las hojas grandes,
ninguno la lengua azul de la playa.

10 Por el East River y el Queensborough
los muchachos luchaban con la industria,
y los judíos vendían al fauno del río
la rosa de la circuncisión,
y el cielo desembocaba por los puentes y los
    tejados
15 manadas de bisontes empujadas por el viento.

Pero ninguno se detenía,
ninguno quería ser nube,
ninguno buscaba los helechos
ni la rueda amarilla del tamboril.

20   Cuando la luna salga
las poleas rodarán para turbar el cielo;
un límite de agujas cercará la memoria
y los ataúdes se llevarán a los que no trabajan.

Nueva York de cieno,
25   Nueva York de alambres y de muerte:
¿Qué ángel llevas oculto en la mejilla?
¿Qué voz perfecta dirá las verdades del trigo?
¿Quién el sueño terrible de tus anémonas
     manchadas?

Ni un solo momento, viejo hermoso Walt
     Whitman,
30   he dejado de ver tu barba llena de mariposas,
ni tus hombros de pana gastados por la luna,
ni tus muslos de Apolo virginal,
ni tu voz como una columna de ceniza;
anciano hermoso como la niebla,
35   que gemías igual que un pájaro
con el sexo atravesado por una aguja,
enemigo del sátiro,
enemigo de la vid
y amante de los cuerpos bajo la burda tela.

40   Ni un solo momento, hermosura viril
que en montes de carbón, anuncios y ferrocarriles,
soñabas ser un río y dormir como un río
con aquel camarada que pondría en tu pecho
un pequeño dolor de ignorante leopardo.

45 Ni un solo momento, Adán de sangre, Macho,
hombre solo en el mar, viejo hermoso Walt
    Whitman,
porque por las azoteas,
agrupados en los bares,
saliendo en racimos de las alcantarillas,
50 temblando entre las piernas de los *chauffeurs*
o girando en las plataformas del ajenjo,
los maricas, Walt Whitman, te señalan.

¡También ése! ¡También! Y se despeñan
sobre tu barba luminosa y casta
55 rubios del norte, negros de la arena,
muchedumbre de gritos y ademanes,
como gatos y como las serpientes,
los maricas, Walt Whitman, los maricas,
turbios de lágrimas, carne para fusta,
60 bota o mordisco de los domadores.

¡También ése! ¡También! Dedos teñidos
apuntan a la orilla de tu sueño
cuando el amigo come tu manzana
con un leve sabor de gasolina
65 y el sol canta por los ombligos
de los muchachos que juegan bajo los puentes.

Pero tú no buscabas los ojos arañados,
ni el pantano oscurísimo donde sumergen a los
    niños,
ni la saliva helada,
70 ni las curvas heridas como panza de sapo
que llevan los maricas en coches y en terrazas
mientras la luna los azota por las esquinas del
    terror.

Tú buscabas un desnudo que fuera como un río,
toro y sueño que junte la rueda con el alga,
75 padre de tu agonía, camelia de tu muerte,
y gimiera en las llamas de tu ecuador oculto.

Porque es justo que el hombre no busque su
        deleite
en la selva de sangre de la mañana próxima.
El cielo tiene playas donde evitar la vida
80 y hay cuerpos que no deben repetirse en la aurora.

Agonía, agonía, sueño, fermento y sueño.
Éste es el mundo, amigo, agonía, agonía.
Los muertos se descomponen bajo el reloj de las
        ciudades,
la guerra pasa llorando con un millón de ratas
        grises,
85 los ricos dan a sus queridas
pequeños moribundos iluminados,
y la vida no es noble, ni buena, ni sagrada.

Puede el hombre, si quiere, conducir su deseo
por vena de coral o celeste desnudo.
90 Mañana los amores serán rocas y el tiempo
una brisa que viene dormida por las ramas.

Por eso no levanto mi voz, viejo Walt Whitman,
contra el niño que escribe
nombre de niña en su almohada,
95 ni contra el muchacho que se viste de novia
en la oscuridad del ropero,
ni contra los solitarios de los casinos
que beben con asco el agua de la prostitución,
ni contra los hombres de mirada verde

100   que aman al hombre y queman sus labios en
        silencio.
      Pero sí contra vosotros, maricas de las ciudades,
      de carne tumefacta y pensamiento inmundo.
      Madres de lodo. Arpías. Enemigos sin sueño
      del amor que reparte coronas de alegría.

105   Contra vosotros siempre, que dais a los muchachos
      gotas de sucia muerte con amargo veneno.
      Contra vosotros siempre,
      «Fairies» de Norteamérica,
      «Pájaros» de la Habana,
110   «Jotos» de Méjico,
      «Sarasas» de Cádiz,
      «Apios» de Sevilla,
      «Cancos» de Madrid,
      «Floras» de Alicante,
115   «Adelaidas» de Portugal.

      ¡Maricas de todo el mundo, asesinos de palomas!
      Esclavos de la mujer. Perras de sus tocadores.
      Abiertos en las plazas, con fiebre de abanico
      o emboscados en yertos paisajes de cicuta.

120   ¡No haya cuartel! La muerte
      mana de vuestros ojos
      y agrupa flores grises en la orilla del cieno.
      ¡No haya cuartel! ¡¡Alerta!!
      Que los confundidos, los puros,
125   los clásicos, los señalados, los suplicantes,
      os cierren las puertas de la bacanal.

      Y tú, bello Walt Whitman, duerme a orillas del
        Hudson
      con la barba hacia el polo y las manos abiertas.

Arcilla blanda o nieve, tu lengua está llamando
130 camaradas que velen tu gacela sin cuerpo.

Duerme: no queda nada.
Una danza de muros agita las praderas
y América se anega de máquinas y llanto.
Quiero que el aire fuerte de la noche más honda
135 quite flores y letras del arco donde duermes,
y un niño negro anuncie a los blancos del oro
la llegada del reino de la espiga.

PEQUEÑO VALS VIENÉS

En Viena hay diez muchachas,
un hombro donde solloza la muerte
y un bosque de palomas disecadas.
Hay un fragmento de la mañana
5 en el museo de la escarcha.
Hay un salón con mil ventanas.

¡Ay, ay, ay, ay!
Toma este vals con la boca cerrada.

Este vals, este vals, este vals,
10 de sí, de muerte y de coñac
que moja su cola en el mar.

Te quiero, te quiero, te quiero,
con la butaca y el libro muerto,
por el melancólico pasillo,
15 en el oscuro desván del lirio,
en nuestra cama de la luna
y en la danza que sueña la tortuga.

¡Ay, ay, ay, ay!
Toma este vals de quebrada cintura.

20   En Viena hay cuatro espejos
donde juegan tu boca y los ecos.
Hay una muerte para piano
que pinta de azul a los muchachos.
Hay mendigos por los tejados.
25   Hay frescas guirnaldas de llanto.

¡Ay, ay, ay, ay!
Toma este vals que se muere en mis brazos.

Porque te quiero, te quiero, amor mío,
en el desván donde juegan los niños,
30   soñando viejas luces de Hungría
por los rumores de la tarde tibia,
viendo ovejas y lirios de nieve
por el silencio oscuro de tu frente.

¡Ay, ay, ay, ay!
35   Toma este vals del «Te quiero siempre».

En Viena bailaré contigo
con un disfraz que tenga
cabeza de río.
¡Mira qué orillas tengo de jacintos!
40   Dejaré mi boca entre tus piernas,
mi alma en fotografías y azucenas,
y en las ondas oscuras de tu andar
quiero, amor mío, amor mío, dejar,
violín y sepulcro, las cintas del vals.

SON DE LOS NEGROS EN CUBA

A Don Fernando Ortiz

Cuando llegue la luna llena iré a Santiago de Cuba,
iré a Santiago,
en un coche de agua negra,
iré a Santiago.
5 Cantarán los techos de palmera,
iré a Santiago.
Cuando la palma quiere ser cigüeña,
iré a Santiago.
Y cuando quiere ser medusa el plátano,
10 iré a Santiago.
Iré a Santiago
con la rubia cabeza de Fonseca.
Iré a Santiago.
Y con la rosa de Romeo y Julieta
15 iré a Santiago.
Mar de papel y plata de monedas.
Iré a Santiago.
¡Oh Cuba! ¡Oh ritmo de semillas secas!
Iré a Santiago.
20 ¡Oh cintura caliente y gota de madera!
Iré a Santiago.
Arpa de troncos vivos. Caimán. Flor de tabaco.
Iré a Santiago.
Siempre dije que yo iría a Santiago
25 en un coche de agua negra.
Iré a Santiago.
Brisa y alcohol en las ruedas,
iré a Santiago.
Mi coral en la tiniebla,
30 iré a Santiago.
El mar ahogado en la arena,

iré a Santiago.
Calor blanco, fruta muerta,
iré a Santiago.
25 ¡Oh bovino frescor de cañavera!
¡Oh Cuba! ¡Oh curva de suspiro y barro!
Iré a Santiago.

DIVÁN DEL TAMARIT
(1932-1934)

García Lorca, siempre en deuda con la tradición, quiso rendir con este libro un homenaje a los poetas y a la poesía arábigo-andaluza. La colección de poemas —*diwán*— como tal fue concebida, sin embargo, a posteriori, es decir, cuando la mayoría de los poemas que la forman estaban redactados; quizá por ello, en última instancia, el autor modificó el título de muchos de ellos distribuyéndolos respectivamente en *gacelas* y *casidas*. El Tamarit es el nombre con el que se conocía un terreno vecino a la Huerta de San Vicente, finca familiar de los García Lorca, y pertenecía a unos parientes del poeta.

Entre 1931 y 1934, tras la experiencia neoyorquina, Lorca, desde la perfección y la experiencia de la madurez, lleva a su terreno (la poesía hispánica quintaesenciada, las raíces árabes y andaluzas, la infancia) una tradición orientalista que venía muy de atrás —textos árabes preislámicos e islámicos traducidos por Goethe, Villaespesa, Prados…— y que, unida al tema del origen y de la pérdida, de asuntos existenciales y amorosos, se atreve a resolver en sencillos poemas asonantados o sin rima.

En 1934, Lorca puso en manos de Antonio Gallego Burín, decano de Filosofía y Letras de la Universidad de Granada, el manuscrito acabado de *Diván del Tamarit* para su publicación. Sin una explicación convincente, la edición se retrasó hasta tal punto que el poeta decidió retirarla. El libro vería finalmente la luz en Nueva York en 1940, en una edición de la *Revista Hispánica Moderna* (año 7, núms. 3-4).

GACELA PRIMERA
DEL AMOR IMPREVISTO

Nadie comprendía el perfume
de la oscura magnolia de tu vientre.
Nadie sabía que martirizabas
un colibrí de amor entre los dientes.

5 Mil caballitos persas se dormían
en la plaza con luna de tu frente,
mientras que yo enlazaba cuatro noches
tu cintura, enemiga de la nieve.

Entre yeso y jazmines, tu mirada
10 era un pálido ramo de simientes.
Yo busqué, para darte, por mi pecho
las letras de marfil que dicen *siempre*.

Siempre, siempre: jardín de mi agonía,
tu cuerpo fugitivo para siempre,
15 la sangre de tus venas en mi boca,
tu boca ya sin luz para mi muerte.

DE LA TERRIBLE PRESENCIA

Yo quiero que el agua se quede sin cauce.
Yo quiero que el viento se quede sin valles.

Quiero que la noche se quede sin ojos
y mi corazón sin la flor del oro;

5   que los bueyes hablen con las grandes hojas
y que la lombriz se muera de sombra:

que brillen los dientes de la calavera
y los amarillos inunden la seda.

Puedo ver el duelo de la noche herida
10   luchando enroscada con el mediodía.

Resisto un ocaso de verde veneno
y los arcos rotos donde sufre el tiempo.

Pero no me enseñes tu limpio desnudo
como un negro cactus abierto en los juncos.
15   Déjame en un ansia de oscuros planetas,
pero no me enseñes tu cintura fresca.

DEL AMOR DESESPERADO

La noche no quiere venir
para que tú no vengas,
ni yo pueda ir.

Pero yo iré,
5   aunque un sol de alacranes me coma la sien.

Pero tú vendrás
con la lengua quemada por la lluvia de sal.

El día no quiere venir
para que tú no vengas,
10 ni yo pueda ir.

Pero yo iré
entregando a los sapos mi mordido clavel.

Pero tú vendrás
por las turbias cloacas de la oscuridad.

15 Ni la noche ni el día quieren venir
para que por ti muera
y tú mueras por mí.

GACELA V
DEL NIÑO MUERTO

Todas las tardes en Granada,
todas las tardes se muere un niño.
Todas las tardes el agua se sienta
a conversar con sus amigos.

5 Los muertos llevan alas de musgo.
El viento nublado y el viento limpio
son dos faisanes que vuelan por las torres
y el día es un muchacho herido.

No quedaba en el aire ni una brizna de alondra
10 cuando yo te encontré por las grutas del vino.
No quedaba en la tierra ni una miga de nube
cuando te ahogabas por el río.

Un gigante de agua cayó sobre los montes
y el valle fue rodando con perros y con lirios.
15   Tu cuerpo, con la sombra violeta de mis manos,
era, muerto en la orilla, un arcángel de frío.

GACELA VI
DE LA RAÍZ AMARGA

Hay una raíz amarga
y un mundo de mil terrazas.

Ni la mano más pequeña
quiebra la puerta del agua.

5   ¿Dónde vas, adónde, dónde?
Hay un cielo de mil ventanas
—batalla de abejas lívidas—
y hay una raíz amarga.

Amarga.

10   Duele en la planta del pie
el interior de la cara,
y duele en el tronco fresco
de noche recién cortada.

¡Amor, enemigo mío,
15   muerde tu raíz amarga!

DEL RECUERDO DE AMOR

No te lleves tu recuerdo.
Déjalo solo en mi pecho,

temblor de blanco cerezo
en el martirio de Enero.

5   Me separa de los muertos
un muro de malos sueños.

Doy pena de lirio fresco
para un corazón de yeso.

Toda la noche, en el huerto
10   mis ojos, como dos perros.

Toda la noche, comiendo
los membrillos de veneno.

Algunas veces el viento
es un tulipán de miedo,

15   es un tulipán enfermo,
la madrugada de invierno.

Un muro de malos sueños
me separa de los muertos.

La niebla cubre en silencio
20   el valle gris de tu cuerpo.

Por el arco del encuentro
la cicuta está creciendo.

Pero deja tu recuerdo,
déjalo sólo en mi pecho.

GACELA VIII
DE LA MUERTE OSCURA

Quiero dormir el sueño de las manzanas,
alejarme del tumulto de los cementerios.
Quiero dormir el sueño de aquel niño
que quería cortarse el corazón en alta mar.

5   No quiero que me repitan
que los muertos no pierden la sangre;
que la boca podrida sigue pidiendo agua.
No quiero enterarme
de los martirios que da la hierba,
10 ni de la luna con boca de serpiente
que trabaja antes del amanecer.

Quiero dormir un rato,
un rato, un minuto, un siglo;
pero que todos sepan que no he muerto;
15 que hay un establo de oro en mis labios;
que soy el pequeño amigo del viento Oeste;
que soy la sombra inmensa de mis lágrimas.

Cúbreme por la aurora con un velo,
porque me arrojará puñados de hormigas,
20 y moja con agua dura mis zapatos
para que resbale la pinza de su alacrán.

Porque quiero dormir el sueño de las manzanas
para aprender un llanto que me limpie de tierra;

porque quiero vivir con aquel niño oscuro
25 que quería cortarse el corazón en alta mar.

GACELA IX
DEL AMOR MARAVILLOSO

Con todo el yeso
de los malos campos,
eras junco de amor, jazmín mojado.

Con sur y llama
5   de los malos cielos,
eres rumor de nieve por mi pecho.

Cielos y campos
anudaban cadenas en mis manos.

Cielos y cielos
10   azotaban las llagas de mi cuerpo.

GACELA X
DE LA HUIDA

Me he perdido muchas veces por el mar
con el oído lleno de flores recién cortadas,
con la lengua llena de amor y de agonía.
Muchas veces me he perdido por el mar,
5   como me pierdo en el corazón de algunos niños.

No hay noche que, al dar un beso,
no sienta la sonrisa de las gentes sin rostro,
ni hay nadie que, al tocar un recién nacido,
olvide las inmóviles calaveras de caballo.

10   Porque las rosas buscan en la frente
     un duro paisaje de hueso
     y las manos del hombre no tienen más sentido
     que imitar a las raíces bajo tierra.

     Como me pierdo en el corazón de algunos niños,
15   me he perdido muchas veces por el mar.
     Ignorante del agua voy buscando
     una suerte de luz que me consuma.

CASIDA PRIMERA
DEL HERIDO POR EL AGUA

     Quiero bajar al pozo,
     quiero subir los muros de Granada,
     para mirar el corazón pasado
     por el punzón oscuro de las aguas.

 5   El niño herido gemía
     con una corona de escarcha.
     Estanques, aljibes y fuentes
     levantaban al aire sus espadas.
     ¡Ay, qué furia de amor, qué hiriente filo,
10   qué nocturno rumor, qué muerte blanca!
     ¡Qué desiertos de luz iban hundiendo
     los arenales de la madrugada!
     El niño estaba solo
     con la ciudad dormida en la garganta.
15   Un surtidor que viene de los sueños
     lo defiende del hambre de las algas.
     El niño y su agonía, frente a frente,
     eran dos verdes lluvias enlazadas.
     El niño se tendía por la tierra
20   y su agonía se curvaba.

Quiero bajar al pozo,
quiero morir mi muerte a bocanadas,
quiero llenar mi corazón de musgo,
para ver al herido por el agua.

CASIDA II
DEL LLANTO

He cerrado mi balcón
porque no quiero oír el llanto,
pero por detrás de los grises muros
no se oye otra cosa que el llanto.

5   Hay muy pocos ángeles que canten,
hay muy pocos perros que ladren,
mil violines caben en la palma de mi mano.
Pero el llanto es un perro inmenso,
el llanto es un ángel inmenso,
10   el llanto es un violín inmenso,
las lágrimas amordazan al viento
y no se oye otra cosa que el llanto.

CASIDA III
DE LOS RAMOS

Por las arboledas del Tamarit
han venido los perros de plomo
a esperar que se caigan los ramos,
a esperar que se quiebren ellos solos.

5   El Tamarit tiene un manzano
con una manzana de sollozos.

Un ruiseñor apaga los suspiros
y un faisán los ahuyenta por el polvo.

Pero los ramos son alegres,
10 los ramos son como nosotros.
No piensan en la lluvia y se han dormido,
como si fueran árboles, de pronto.

Sentados con el agua en las rodillas
dos valles esperaban al otoño.
15 La penumbra con paso de elefante
empujaba las ramas y los troncos.

Por las arboledas del Tamarit
hay muchos niños de velado rostro
a esperar que se caigan mis ramos,
20 a esperar que se quiebren ellos solos.

CASIDA IV
DE LA MUJER TENDIDA

Verte desnuda es recordar la Tierra.
La Tierra lisa, limpia de caballos.
La Tierra sin un junco, forma pura
cerrada al porvenir: confín de plata.

5 Verte desnuda es comprender el ansia
de la lluvia que busca débil talle,
o la fiebre del mar de inmenso rostro
sin encontrar la luz de su mejilla.

La sangre sonará por las alcobas
10 y vendrá con espadas fulgurantes,
pero tú no sabrás dónde se ocultan
el corazón de sapo o la violeta.

Tu vientre es una lucha de raíces,
tus labios son un alba sin contorno.
15 Bajo las rosas tibias de la cama
los muertos gimen esperando turno.

CASIDA V
DEL SUEÑO AL AIRE LIBRE

Flor de jazmín y toro degollado.
Pavimento infinito. Mapa. Sala. Arpa. Alba.
La niña finge un toro de jazmines
y el toro es un sangriento crepúsculo que brama.

5 Si el cielo fuera un niño pequeñito,
los jazmines tendrían mitad de noche oscura,
y el toro circo azul sin lidiadores
y un corazón al pie de una columna.

Pero el cielo es un elefante,
10 el jazmín es un agua sin sangre
y la niña es un ramo nocturno
por el inmenso pavimento oscuro.

Entre el jazmín y el toro
o garfios de marfil o gente dormida.
15 En el jazmín un elefante y nubes
y en el toro el esqueleto de la niña.

CASIDA VI
DE LA MANO IMPOSIBLE

Yo no quiero más que una mano,
una mano herida, si es posible.

Yo no quiero más que una mano,
aunque pase mil noches sin lecho.

5   Sería un pálido lirio de cal,
sería una paloma amarrada a mi corazón,
sería el guardián que en la noche de mi tránsito
prohibiera en absoluto la entrada a la luna.

Yo no quiero más que esa mano
10 para los diarios aceites y la sábana blanca de mi
        agonía.
Yo no quiero más que esa mano
para tener un ala de mi muerte.

Lo demás todo pasa.
Rubor sin nombre ya. Astro perpetuo.
15 Lo demás es lo otro; viento triste,
mientras las hojas huyen en bandadas.

CASIDA IX
DE LAS PALOMAS OSCURAS

A Claudio Guillén

Por las ramas del laurel
vi dos palomas oscuras.
La una era el sol,
la otra la luna.
5   Vecinitas, les dije:
¿dónde está mi sepultura?
En mi cola, dijo el sol.
En mi garganta, dijo la luna.
Y yo que estaba caminando
10 con la tierra por la cintura

vi dos águilas de nieve
y una muchacha desnuda.
La una era la otra
y la muchacha era ninguna.
15   Aguilitas, les dije:
¿dónde está mi sepultura?
En mi cola, dijo el sol.
En mi garganta, dijo la luna.
Por las ramas del laurel
20   vi dos palomas desnudas.
La una era la otra
y las dos eran ninguna.

SEIS POEMAS GALEGOS
(1932-1934)

El cuaderno o librito *Seis poemas galegos* fue escrito entre 1932 y 1934 a raíz de los viajes que desde 1931 el poeta realiza a tierras gallegas. Aunque ya en 1916 Lorca había conocido Galicia en un viaje de estudios con el catedrático Martín Domínguez Berrueta, es en los primeros años de la República cuando la visita en tres ocasiones y se siente poderosamente atraído por su lengua y por su cultura. «A mi llegada a Galicia —explicaba Federico al periodista gallego Lence en octubre de 1933—, ellas [las "fuerzas formidables" de Compostela y el paisaje] se apoderaron de mí en forma tal que también me sentí poeta de la alta hierba, de la lluvia alta y pausada. Me sentí poeta gallego, y una imperiosa necesidad de hacer versos…»[1]

El poeta no conocía a fondo la lengua gallega, pero es muy posible que, asesorado por escritores como Eduardo Blanco-Amor y Ernesto Pérez Guerra, poetizara directamente en la lengua de Rosalía de Castro. El libro es, en cierto modo, un homenaje a la autora de *Follas novas*, así como a todos los autores gallegos y portugueses que habían marcado su sensibilidad: Eduardo Pondal, Curros Enríquez, Camoens, Gil Vicente…; pero es también un guiño a ese otro folclore peninsular y a esas otras tradiciones literarias que llevan a los orígenes mismos de la lírica española.

Los poemas tienen forma de copla y de romance, se sirven de paralelismos, estribillos y otros recursos de la poesía popular, penetran en la Galicia mítica, romántica y nocturna, que esti-

1. FGL, *Obras completas*, III, *op. cit.*, pág. 459.

lizan, someten a sus símbolos, la hacen suya y la convierten en materia poética por la que asoman los grandes problemas de la condición humana.

Seis poemas galegos se publicó en Santiago de Compostela en 1935, en la editorial Nós, al cuidado de Eduardo Blanco-Amor, que se ocupó directamente de la edición y para la que realizó un prólogo elogioso y esclarecedor en el que matizaba su justa intervención en el libro: «Toda su naturalidad fue pulcramente respetada. Mi complicidad se reduce a un leve paso por las ajetreadas cuartillas, con probidad pendolista y ortográfica. ¡Y que aun esto me sea perdonado».[2]

2. Miguel GARCÍA-POSADA, «Introducción», en FGL, *op. cit.*, pág. 365.

NOITURNIO DO ADOESCENTE MORTO[3]

Imos silandeiros orela do vado
pra ver o adoescente afogado.

Imos silandeiros veiriña do ar,
antes que ise río o leve pro mar.

5 Súa ialma choraba, ferida e pequena,
embaixo os arumes de pinos e d'herbas.

Ágoa despenada baixaba da lúa
cobrindo de lirios a montana núa.

3. NOCTURNO DEL MUCHACHO MUERTO. *Vamos silenciosos a orillas*
del vado / para que veamos al muchacho ahogado. // Vamos silencio-
sos del aire al pasar, / antes que ese río lo lleve hacia el mar. // Su alma
lloraba, herida y pequeña, / bajo las agujas de pinos y hierbas. // Baja-
ba en cascada agua de la luna / cubriendo de lirios la sierra desnuda. // El viento dejaba camelias de sombra / en lucerna mustia de su triste
boca. // ¡Venid, mozos rubios del monte y del prado, / para que veáis
al muchacho ahogado! // ¡Venid, gente oscura del monte y del val, /
antes que ese río lo lleve hacia el mar! // Lo lleve hacia el mar de praderas blancas // donde van y vienen viejos bueyes de agua. // *¡Ay, cómo*
cantaban los árboles del Sil / en la verde luna, como un tamboril! // ¡Ve-

O vento deixaba camelias de soma
10 na lumieira murcha da súa triste boca.

¡Vinde mozos loiros do monte e do prado
pra ver o adoescente afogado!

¡Vinde xente escura do cume e do val
antes que ise río o leve pro mar!

15 O leve pro mar de curtiñas brancas
onde van e ven vellos bois de ágoa.

¡Ay, cómo cantaban os albres do Sil
sobre a verde lúa, coma un tamboril!

¡Mozos, imos, vinde, aixiña, chegar
20 *porque xa ise río m'o leva pra o mar!*

CANZÓN DE CUNA PRA ROSALÍA CASTRO, MORTA[4]

¡Érguete miña amiga
que xa cantan os galos do día!
¡Érguete miña amada
porque o vento muxe, coma unha vaca!

---

nid, vamos, mozos, aprisa, llegad, / porque ya ese río me lo lleva al mar!
[Traducción de Ángel Luis Prieto de Paula.]
4. CANCIÓN DE CUNA PARA ROSALÍA CASTRO, MUERTA // *¡Levánta-*
te, amiga mía, / que ya cantan los gallos del día! / ¡Levántate, mi ama-
da, / porque el viento muge, como una vaca! // Los arados en vaivén /
van de Santiago a Belén. / Y de Belén a Santiago / un ángel viene en un
barco. // Un barco de plata fina / que trae el dolor de Galicia. / Galicia tendida y queda / transida de tristes hierbas. / Hierbas que cubren
tu lecho / y la negra fuente de tus cabellos. / Cabellos que van al mar /

5 Os arados van e ven
   dende Santiago a Belén.
   Dende Belén a Santiago
   un anxo ven en un barco.
   Un barco de prata fina
10 que trai a door de Galicia.
   Galicia deitada e queda
   transida de tristes herbas.
   Herbas que cobren teu leito
   e a negra fonte dos teus cabelos.
15 Cabelos que van ao mar
   onde as nubens teñen seu nidio pombal.

   ¡Érguete miña amiga
   que xa cantan os galos do día!
   ¡Érguete miña amada
20 *porque o vento muxe, coma unha vaca!*

---

do las nubes tienen claro palomar. // *¡Levántate, amiga mía, / que ya cantan los gallos del día! / ¡Levántate, mi amada, / porque el viento muge, como una vaca!* [Traducción de Ángel Luis Prieto de Paula.]

LLANTO POR
IGNACIO SÁNCHEZ MEJÍAS
(1934)

A mi querida amiga
Encarnación López Júlvez

Todos los elementos esenciales de la poesía lorquiana se dan cita en este poema, síntesis completa de temas y de estilos, donde el mundo andaluz se funde con el universo neoyorquino.

Doscientos veinte versos forman esta elegía dividida en cuatro movimientos, rigurosamente organizados, que el poeta dedica al amigo desaparecido, torero y hombre excepcional, de refinada cultura y vitalismo contagioso, que encontró la muerte el 13 de agosto de 1934, tras recibir una cornada mortal en la plaza de Manzanares.

El trágico suceso, de amplia repercusión en la sociedad y en los círculos culturales de la época, tal y como se explica en la introducción de esta antología, afectó hondamente a nuestro poeta, que respondió al dolor con la redacción de un poema funerario de magnitud no superada en todo el siglo XX y cuyo precedente nos lleva, con la distancia debida, a las *Coplas* de Jorge Manrique. El texto quedó terminado en el otoño de 1934, dos meses después de la muerte de Sánchez Mejías, y fue publicado por José Bergamín en 1935, en las Ediciones del Árbol de la revista *Cruz y Raya*, con ilustraciones de José Caballero. Iba encabezado por una dedicatoria a Encarnación López Júlvez, *La Argentinita*, compañera sentimental del torero.

Conviene destacar el hecho de que la muerte física, con tales tintes dramáticos, nunca había estado tan cerca de Lorca como en aquella circunstancia, de ahí que el *Llanto por la muerte de Ignacio Sánchez Mejías* nos presenta a la muerte —en palabras de García-Posada— «ofreciendo su rostro más feroz, abstracta en su poder sin límites, concreta por estar cifrada, de algún modo, en el animal totémico. Muerte universal por sus consecuencias y, al mismo tiempo, encarnada en su víctima puntual».[1]

---

1. Miguel GARCÍA-POSADA, «Introducción», en FGL, *op.cit.*, pág. 113.

LA COGIDA Y LA MUERTE

A las cinco de la tarde.
Eran las cinco en punto de la tarde.
Un niño trajo la blanca sábana
a las cinco de la tarde.
5 Una espuerta de cal ya prevenida
a las cinco de la tarde.
Lo demás era muerte y sólo muerte
a las cinco de la tarde.

El viento se llevó los algodones
10 *a las cinco de la tarde,*
y el óxido sembró cristal y níquel
a las cinco de la tarde.
Ya luchan la paloma y el leopardo
a las cinco de la tarde,
15 y un muslo con un asta desolada
a las cinco de la tarde.
Comenzaron los sones del bordón
a las cinco de la tarde.
Las campanas de arsénico y el humo
20 *a las cinco de la tarde.*

En las esquinas grupos de silencio
a las cinco de la tarde.
¡Y el toro solo corazón arriba!
a las cinco de la tarde.
25 Cuando el sudor de nieve fue llegando
a las cinco de la tarde,
cuando la plaza se cubrió de yodo
a las cinco de la tarde,
la muerte puso huevos en la herida
30 *a las cinco de la tarde.*
A las cinco de la tarde.
A las cinco en punto de la tarde.

Un ataúd con ruedas es la cama
a las cinco de la tarde.
35 Huesos y flautas suenan en su oído
a las cinco de la tarde.
El toro ya mugía por su frente
a las cinco de la tarde.
El cuarto se irisaba de agonía
40 *a las cinco de la tarde.*
A lo lejos ya viene la gangrena
a las cinco de la tarde.
Trompa de lirio por las verdes ingles
a las cinco de la tarde.
45 Las heridas quemaban como soles
a las cinco de la tarde,
y el gentío rompía las ventanas
a las cinco de la tarde.
A las cinco de la tarde.
50 ¡Ay qué terribles cinco de la tarde!
¡Eran las cinco en todos los relojes!
¡Eran las cinco en sombra de la tarde!

LA SANGRE DERRAMADA

¡Que no quiero verla!

Dile a la luna que venga,
que no quiero ver la sangre
de Ignacio sobre la arena.

5   ¡Que no quiero verla!

La luna de par en par,
caballo de nubes quietas,
y la plaza gris del sueño
con sauces en las barreras.

10 ¡Que no quiero verla!
Que mi recuerdo se quema.
¡Avisad a los jazmines
con su blancura pequeña!

¡Que no quiero verla!

15 La vaca del viejo mundo
pasaba su triste lengua
sobre un hocico de sangres
derramadas en la arena,
y los toros de Guisando,
20 casi muerte y casi piedra,
mugieron como dos siglos
hartos de pisar la tierra.

No.
¡Que no quiero verla!

25 Por las gradas sube Ignacio
con toda su muerte a cuestas.

Buscaba el amanecer,
y el amanecer no era.
Busca su perfil seguro,
30 y el sueño lo desorienta.
Buscaba su hermoso cuerpo
y encontró su sangre abierta.
¡No me digáis que la vea!
No quiero sentir el chorro
35 cada vez con menos fuerza;
ese chorro que ilumina
los tendidos y se vuelca
sobre la pana y el cuero
de muchedumbre sedienta.
40 ¿Quién me grita que me asome?
¡No me digáis que la vea!

No se cerraron sus ojos
cuando vio los cuernos cerca,
pero las madres terribles
45 levantaron la cabeza.
Y a través de las ganaderías,
hubo un aire de voces secretas
que gritaban a toros celestes
mayorales de pálida niebla.

50 No hubo príncipe en Sevilla
que comparársele pueda,
ni espada como su espada,
ni corazón tan de veras.
Como un río de leones
55 su maravillosa fuerza,
y como un torso de mármol
su dibujada prudencia.
Aire de Roma andaluza
le doraba la cabeza

60 donde su risa era un nardo
de sal y de inteligencia.
¡Qué gran torero en la plaza!
¡Qué buen serrano en la sierra!
¡Qué blando con las espigas!
65 ¡Qué duro con las espuelas!
¡Qué tierno con el rocío!
¡Qué deslumbrante en la feria!
¡Qué tremendo con las últimas
banderillas de tiniebla!

70 Pero ya duerme sin fin.
Ya los musgos y la hierba
abren con dedos seguros
la flor de su calavera.
Y su sangre ya viene cantando:
75 cantando por marismas y praderas,
resbalando por cuernos ateridos,
vacilando sin alma por la niebla,
tropezando con miles de pezuñas
como una larga, oscura, triste lengua,
80 para formar un charco de agonía
junto al Guadalquivir de las estrellas.

¡Oh blanco muro de España!
¡Oh negro toro de pena!
¡Oh sangre dura de Ignacio!
85 ¡Oh ruiseñor de sus venas!

No.
¡Que no quiero verla!
Que no hay cáliz que la contenga,
que no hay golondrinas que se la beban,
90 no hay escarcha de luz que la enfríe,
no hay canto ni diluvio de azucenas,

no hay cristal que la cubra de plata.
No.
¡¡Yo no quiero verla!!

CUERPO PRESENTE

La piedra es una frente donde los sueños gimen
sin tener agua curva ni cipreses helados.
La piedra es una espalda para llevar al tiempo
con árboles de lágrimas y cintas y planetas.

5   Yo he visto lluvias grises correr hacia las olas
levantando sus tiernos brazos acribillados,
para no ser cazadas por la piedra tendida
que desata sus miembros sin empapar la sangre.

Porque la piedra coge simientes y nublados,
10   esqueletos de alondras y lobos de penumbra;
pero no da sonidos, ni cristales, ni fuego,
sino plazas y plazas y otras plazas sin muros.

Ya está sobre la piedra Ignacio el bien nacido.
Ya se acabó; ¿qué pasa? Contemplad su figura:
15   la muerte lo ha cubierto de pálidos azufres
y le ha puesto cabeza de oscuro minotauro.

Ya se acabó. La lluvia penetra por su boca.
El aire como loco deja su pecho hundido,
y el Amor, empapado con lágrimas de nieve,
20   se calienta en la cumbre de las ganaderías.

¿Qué dicen? Un silencio con hedores reposa.
Estamos con un cuerpo presente que se esfuma,
con una forma clara que tuvo ruiseñores
y la vemos llenarse de agujeros sin fondo.

25 ¿Quién arruga el sudario? ¡No es verdad lo que dice!
Aquí no canta nadie, ni llora en el rincón,
ni pica las espuelas, ni espanta la serpiente:
aquí no quiero más que los ojos redondos
para ver ese cuerpo sin posible descanso.

30 Yo quiero ver aquí los hombres de voz dura.
Los que doman caballos y dominan los ríos:
los hombres que les suena el esqueleto y cantan
con una boca llena de sol y pedernales.

Aquí quiero yo verlos. Delante de la piedra.
35 Delante de este cuerpo con las riendas quebradas.
Yo quiero que me enseñen dónde está la salida
para este capitán atado por la muerte.

Yo quiero que me enseñen un llanto como un río
que tenga dulces nieblas y profundas orillas,
40 para llevar el cuerpo de Ignacio y que se pierda
sin escuchar el doble resuello de los toros.

Que se pierda en la plaza redonda de la luna
que finge cuando niña doliente res inmóvil;
que se pierda en la noche sin canto de los peces
45 y en la maleza blanca del humo congelado.

No quiero que le tapen la cara con pañuelos
para que se acostumbre con la muerte que lleva.
Vete, Ignacio: No sientas el caliente bramido.
Duerme, vuela, reposa: ¡También se muere el mar!

ALMA AUSENTE

No te conoce el toro ni la higuera,
ni caballos ni hormigas de tu casa.

No te conoce el niño ni la tarde
porque te has muerto para siempre.

5 No te conoce el lomo de la piedra,
ni el raso negro donde te destrozas.
No te conoce tu recuerdo mudo
porque te has muerto para siempre.

El otoño vendrá con caracolas,
10 uva de niebla y montes agrupados,
pero nadie querrá mirar tus ojos
porque te has muerto para siempre.

Porque te has muerto para siempre,
como todos los muertos de la Tierra,
15 como todos los muertos que se olvidan
en un montón de perros apagados.

No te conoce nadie. No. Pero yo te canto.
Yo canto para luego tu perfil y tu gracia.
La madurez insigne de tu conocimiento.
20 Tu apetencia de muerte y el gusto de su boca.
La tristeza que tuvo tu valiente alegría.

Tardará mucho tiempo en nacer, si es que nace,
un andaluz tan claro, tan rico de aventura.
Yo canto su elegancia con palabras que gimen
25 y recuerdo una brisa triste por los olivos.

[SONETOS DEL AMOR OSCURO]
(1935-1936)

Como ocurriera con las *Suites*, con *Poeta en Nueva York* o con *Diván del Tamarit*, Lorca no alcanzó a ver en vida la publicación de la serie de sonetos de amor que fue escribiendo entre 1935 y 1936. El motivo que provocó ese regreso a una forma tan clásica y rígida como el poema de catorce versos pudo ser, desde una mirada biográfica, la relación sentimental con Rafael Rodríguez Rapún, secretario de La Barraca desde 1933, o quizá con el joven Juan Ramírez de Lucas. Desde una visión literaria, el soneto, tras el menosprecio sufrido en la eclosión de las vanguardias, había experimentado un resurgimiento a mitad de los años treinta gracias a dos aniversarios celebrados, respectivamente, en 1935 y 1936: el de Lope de Vega y el de Garcilaso. A este fenómeno se supieron unir, con indudable acierto, Luis Rosales (*Abril*, 1935), Miguel Hernández (*El rayo que no cesa*, 1936) y Juan Gil-Albert (*Misteriosa presencia*, 1936).

El soneto era el molde que mejor se ceñía a la temática amorosa. Era un reto personal que invitaba también a superar una fórmula aparentemente gastada y severa para sacar de ella una nueva sustancia verbal y emocional, con palpitaciones insólitas. Y algo muy parecido a ese logro fue lo que Vicente Aleixandre debió de descubrir en los sonetos de Lorca cuando su autor los puso en sus manos:

Sorprendido yo mismo, no pude menos de quedarme mirándole y exclamar: «Federico, qué corazón: cuánto ha tenido que amar, cuánto que sufrir». [...] Si esa obra no se ha perdido; si, para honor de la poesía española y deleite de las generaciones hasta la consumación de la lengua, se conservan en alguna parte los originales, cuántos habrá que sepan, que aprendan y conozcan la capacidad extraordinaria, la hondura y la capacidad sin par del corazón del poeta.[1]

Como bien advertía Vicente Aleixandre en 1937, los sonetos amorosos de García Lorca desaparecieron tras su muerte sin que el autor les diera forma definitiva ni título final. El celo, el prejuicio y el impedimento familiar de dar a conocer un material —del «amor oscuro»— que desvelaba, al parecer, la homosexualidad del poeta, no pudo evitar que, a finales de 1983, una edición clandestina pusiera en circulación un librito titulado *Sonetos del amor oscuro*, ni que meses más tarde, el 17 de marzo de 1984, las páginas del *ABC Cultural* publicaran, con la autorización debida, once de esos sonetos. Sólo así, los lectores pudieron saborear la dulce maravilla que encierran esos poemas donde el amor, fuente de extrema felicidad, pero también de enajenación, de destrucción y de muerte, es un arma y una fuerza contra las cadenas y las imposiciones.

1. Vicente ALEIXANDRE, «Federico», en *Hora de España*, núm. VII, Valencia, julio de 1937, pág. 43.

SONETO DE LA GUIRNALDA DE ROSAS

¡Esa guirnalda! ¡Pronto! ¡Que me muero!
¡Teje deprisa! ¡Canta! ¡Gime! ¡Canta!
Que la sombra me enturbia la garganta
y otra vez viene y mil la luz de Enero.

5   Entre lo que me quieres y te quiero,
aire de estrellas y temblor de planta,
espesura de anémonas levanta
con oscuro gemir un año entero.

Goza el fresco paisaje de mi herida.
10   Quiebra juncos y arroyos delicados.
Bebe en muslo de miel sangre vertida.

Pronto ¡pronto! Que unidos, enlazados,
boca rota de amor y alma mordida,
el tiempo nos encuentre destrozados.

SONETO DE LA DULCE QUEJA

Tengo miedo a perder la maravilla
de tus ojos de estatua y el acento

que de noche me pone en la mejilla
la solitaria rosa de tu aliento.

5   Tengo pena de ser en esta orilla
tronco sin ramas, y lo que más siento
es no tener la flor, pulpa o arcilla,
para el gusano de mi sufrimiento.

Si tú eres el tesoro oculto mío,
10   si eres mi cruz y mi dolor mojado,
si soy el perro de tu señorío,

no me dejes perder lo que he ganado
y decora las aguas de tu río
con hojas de mi otoño enajenado.

LLAGAS DE AMOR

Esta luz, este fuego que devora,
este paisaje gris que me rodea,
este dolor por una sola idea,
esta angustia de cielo, mundo y hora,

5   este llanto de sangre que decora
lira sin pulso ya, lúbrica tea,
este peso del mar que me golpea,
este alacrán que por mi pecho mora,

son guirnalda de amor, cama de herido,
10   donde sin sueño, sueño tu presencia
entre las ruinas de mi pecho hundido.

Y aunque busco la cumbre de prudencia,
me da tu corazón valle tendido
con cicuta y pasión de amarga ciencia.

EL POETA PIDE A SU AMOR
QUE LE ESCRIBA

Amor de mis entrañas, viva muerte,
en vano espero tu palabra escrita
y pienso, con la flor que se marchita,
que si vivo sin mí quiero perderte.

5   El aire es inmortal. La piedra inerte
ni conoce la sombra ni la evita.
Corazón interior no necesita
la miel helada que la luna vierte.

Pero yo te sufrí. Rasgué mis venas,
10   tigre y paloma, sobre tu cintura
en duelo de mordiscos y azucenas.

Llena, pues, de palabras mi locura
o déjame vivir en mi serena
noche del alma para siempre oscura.

EL POETA DICE LA VERDAD

Quiero llorar mi pena y te lo digo
para que tú me quieras y me llores
en un anochecer de ruiseñores,
con un puñal, con besos y contigo.

5   Quiero matar al único testigo
para el asesinato de mis flores
y convertir mi llanto y mis sudores
en eterno montón de duro trigo.

Que no se acabe nunca la madeja
10 del te quiero me quieres, siempre ardida
con decrépito sol y luna vieja.

Que lo que no me des y no te pida
será para la muerte, que no deja
ni sombra por la carne estremecida.

EL POETA HABLA POR TELÉFONO
CON EL AMOR

Tu voz regó la duna de mi pecho
en la dulce cabina de madera.
Por el sur de mis pies fue primavera
y al norte de mi frente flor de helecho.

5   Pino de luz por el espacio estrecho
cantó sin alborada y sementera
y mi llanto prendió por vez primera
coronas de esperanza por el techo.

Dulce y lejana voz por mí vertida.
10 Dulce y lejana voz por mí gustada.
Lejana y dulce voz amortecida.

Lejana como oscura corza herida.
Dulce como un sollozo en la nevada.
¡Lejana y dulce en tuétano metida!

EL POETA PREGUNTA A SU AMOR POR
«LA CIUDAD ENCANTADA DE CUENCA»

¿Te gustó la ciudad que gota a gota
labró el agua en el centro de los pinos?

¿Viste sueños y rostros y caminos
y muros de dolor que el aire azota?

5   ¿Viste la grieta azul de luna rota
que el Júcar moja de cristal y trinos?
¿Han besado tus dedos los espinos
que coronan de amor piedra remota?

Te acordaste de mí cuando subías
10   al silencio que sufre la serpiente
prisionera de grillos y de umbrías?

¿No viste por el aire transparente
una dalia de penas y alegrías
que te mandó mi corazón caliente?

SONETO GONGORINO
EN QUE EL POETA MANDA A SU AMOR
UNA PALOMA

Este pichón del Turia que te mando,
de dulces ojos y de blanca pluma,
sobre laurel de Grecia vierte y suma
llama lenta de amor do estoy parando.

5   Su cándida virtud, su cuello blando,
en limo doble de caliente espuma,
con un temblor de escarcha, perla y bruma
la ausencia de tu boca está marcando.

Pasa la mano sobre su blancura
10   y verás qué nevada melodía
esparce en copos sobre tu hermosura.

Así mi corazón de noche y día,
preso en la cárcel del amor oscura,
llora sin verte su melancolía.

[¡AY VOZ SECRETA
DEL AMOR OSCURO!]

¡Ay voz secreta del amor oscuro!
¡Ay balido sin lanas! ¡Ay·herida!
¡Ay aguja de hiel, camelia hundida!
¡Ay corriente sin mar, ciudad sin muro!

5   ¡Ay noche inmensa de perfil seguro,
montaña celestial de angustia erguida!
¡Ay perro en corazón, voz perseguida,
silencio sin confín, lirio maduro!

Huye de mí, caliente voz de hielo,
10   no me quieras perder en la maleza
donde sin fruto gimen carne y cielo.

Deja el duro marfil de mi cabeza,
apiádate de mí, ¡rompe mi duelo!,
¡que soy amor, que soy naturaleza!

EL AMOR DUERME EN EL PECHO
DEL POETA

Tú nunca entenderás lo que te quiero
porque duermes en mí y estás dormido.
Yo te oculto llorando, perseguido
por una voz de penetrante acero.

⁵ Norma que agita igual carne y lucero
traspasa ya mi pecho dolorido
y las turbias palabras han mordido
las alas de tu espíritu severo.

Grupo de gente salta en los jardines
¹⁰ esperando tu cuerpo y mi agonía
en caballos de luz y verdes crines.

Pero sigue durmiendo, vida mía.
¡Oye mi sangre rota en los violines!
¡Mira que nos acechan todavía!

NOCHE DE AMOR INSOMNE

Noche arriba los dos con luna llena,
yo me puse a llorar y tú reías.
Tu desdén era un dios, las quejas mías
momentos y palomas en cadena

⁵ Noche abajo los dos. Cristal de pena,
llorabas tú por hondas lejanías.
Mi dolor era un grupo de agonías
sobre tu débil corazón de arena.

La aurora nos unió sobre la cama,
¹⁰ las bocas puestas sobre el chorro helado
de una sangre sin fin que se derrama.

Y el sol entró por el balcón cerrado
y el coral de la vida abrió su rama
sobre mi corazón amortajado.

[POEMAS SUELTOS]

A lo largo de la trayectoria poética de Lorca quedaron muchos poemas sueltos que, o bien fueron descartados de alguno de sus libros, o bien pertenecieron a obras que no llegaron a editarse en vida del autor y acabaron dispersos y desgajados del conjunto para el que, probablemente, fueron concebidos, como es el caso de las *Suites* o de ciertas composiciones del ciclo de *Poeta en Nueva York*. Hablamos de un material copioso que no llegó a ocupar el lugar que le correspondía.

Los poemas aquí seleccionados, de épocas muy distintas, arrancan de la etapa de *Canciones* y llegan aproximadamente a 1934, fecha en la que es fácil situar el soneto dedicado a la hija del poeta chileno Pablo Neruda, nacida en agosto de 1934 en Madrid. En torno a 1924 hay que datar el soneto funeral a José de Ciria y Escalante, poeta vanguardista por quien Lorca sentía una especial devoción. Esta composición fue incluida por Gerardo Diego en 1932 en la *Antología 1915-1931* dedicada a los nuevos representantes de la poesía española.

Los poemas «Adam» y «Yo sé que mi perfil será tranquilo» forman parte de los sonetos escritos en América y conservan el espeso simbolismo de la poesía neoyorquina. El primero, dentro de su limitación espacial, concentra dualidades y temas como la relación nacimiento/destrucción, vida/muerte, fecundidad/esterilidad... El segundo es, según García-Posada, «uno de los poemas más melancólicos, más doloridos, escritos por el poeta»,[1]

1. Miguel GARCÍA-POSADA, «Introducción», en FGL, *op. cit.*, pág. 134.

en el que todo adquiere un tono fúnebre, de absoluto fracaso, y en el que Lorca sufre la autovisión de su propio enterramiento.

El soneto dedicado a la peruana Carmela Cordón tiene un sentido didáctico. Parte del conjuro del regalo de unas muñecas —pura mirada a la infancia— para meditar sobre el arte, el formalismo frío o la expresión sin forma pero inspirada.

No obstante, entre las composiciones recuperadas en este apartado, la titulada «Infancia y muerte» forma parte de los poemas mayores de García Lorca. Escrita en octubre de 1929, es decir, durante el ciclo de *Poeta en Nueva York*, permaneció inédita hasta 1976. El texto concentra todo el patetismo, toda la simbología de la obra y casi la totalidad de sus temas: la infancia perdida, la esterilidad, la denuncia social y religiosa, el poder de la razón destructiva…

CANCIÓN

Lento perfume y corazón sin gama,
aire definitivo en lo redondo,
corazón fijo vendedor de nortes,
quiero dejaros y quedarme solo.

5   En la estrella polar decapitada.

En la brújula rota y sumergida.

EN LA MUERTE DE JOSÉ DE CIRIA
Y ESCALANTE

¡Quién dirá que te vio, y en qué momento!
¡Qué dolor de penumbra iluminada!
Dos voces suenan: el reloj y el viento,
mientras flota sin ti la madrugada.

5   Un delirio de nardo ceniciento
invade tu cabeza delicada.
¡Hombre! ¡Pasión! ¡Dolor de luz! Memento.
Vuelve hecho luna y corazón de nada.

Vuelve hecho luna: con mi propia mano
10   lanzaré tu manzana sobre el río
turbio de rojos peces de verano.

Y tú, arriba, en lo alto, verde y frío,
¡olvídate! y olvida al mundo vano,
delicado Giocondo, amigo mío.

DOS NORMAS

[Dibujo de la luna]

Norma de ayer encontrada
sobre mi noche presente.
Resplandor adolescente
que se opone a la nevada.
5   No pueden darte posada
mis dos niñas de sigilo,
morenas de luna en vilo
con el corazón abierto;
pero mi amor busca el huerto
10   donde no muere tu estilo.

[Dibujo del sol]

Norma de seno y cadera
baja la rama tendida,
antigua y recién nacida
virtud de la primavera.
5   Ya mi desnudo quisiera
ser dalia de tu destino,
abeja, rumor o vino
de tu número y locura;
pero mi amor busca pura
10   locura de brisa y trino.

INFANCIA Y MUERTE

Para buscar mi infancia, ¡Dios mío!,
comí naranjas podridas, papeles viejos, palomares
     vacíos,
y encontré mi cuerpecito comido por las ratas,
en el fondo del aljibe y con las cabelleras de los
     locos.
5   Mi traje de marinero
no estaba empapado con el aceite de las ballenas,
pero tenía la eternidad vulnerable de las
     fotografías.
Ahogado, sí, bien ahogado. Duerme, hijito mío,
     duerme.
Niño vencido en el colegio y en el vals de la rosa
     herida,
10 asombrado con el alba oscura del vello sobre los
     muslos,
agonizando con su propio hombre que masticaba
     tabaco en su costado siniestro.
Oigo un río seco lleno de latas de conserva
donde cantan las alcantarillas y arrojan las camisas
     llenas de sangre;
un río de gatos podridos que fingen corolas y
     anémonas
15 para engañar a la luna y que se apoye dulcemente en
     ellos.
Aquí solo con mi ahogado.
Aquí solo con la brisa de musgos fríos y tapaderas
     de hojalata.
Aquí, solo, veo que ya me han cerrado la puerta.
Me han cerrado la puerta y hay un grupo de
     muertos
20 que juega al tiro al blanco, y otro grupo de muertos
que busca por la cocina las cáscaras de melón

y un solitario, azul, inexplicable muerto
que me busca por las escaleras, que mete las manos
   en el aljibe
mientras los astros llenan de ceniza las cerraduras
   de las catedrales
25   y las gentes se quedan de pronto con todos los trajes
   pequeños.

Para buscar mi infancia, ¡Dios mío!,
comí limones estrujados, establos, periódicos
   marchitos.
Pero mi infancia era una rata que huía por un jardín
   oscurísimo,
una rata satisfecha, mojada por el agua simple,
30   una rata para el asalto de los grandes almacenes
y que llevaba un anda de oro entre los dientes
   diminutos.

Nueva York, 7 de octubre, 1929

A CARMEN CORDÓN,
AGRADECIÉNDOLE UNAS MUÑECAS

Una luz de jacinto me ilumina la mano
al escribir tu nombre de tinta y cabellera
y en la neutra ceniza de mi verso quisiera
silbo de luz y arcilla de caliente verano.

5   Un Apolo de hueso borra el cauce inhumano
donde mi sangre teje juncos de primavera.
Aire débil de alumbre y aguja de quimera
pone loco de espigas el silencio del grano.

En este duelo a muerte con la virgen poesía,
10 duelo de rosa y verso, de número y locura,
tu regalo renueva sal y vieja alegría.

¡Oh pequeña morena de delgada cintura!
¡Oh Perú de metal y de melancolía!
¡Oh España! ¡Oh luna muerta sobre la piedra dura!

(1929)

ADAM

A Pablo Neruda, rodeado de fantasmas

Árbol de sangre riega la mañana
por donde gime la recién parida.
Su voz deja cristales en la herida
y un gráfico de hueso en la ventana.

5 Mientras la luz que viene fija y gana
blancas metas de fábula que olvida
el tumulto de venas en la huida
hacia el turbio frescor de la manzana.

Adam sueña en la fiebre de la arcilla
10 un niño que se acerca galopando
por el doble latir de su mejilla.

Pero otro Adam oscuro está soñando
neutra luna de piedra sin semilla
donde el niño de luz se irá quemando.

[YO SÉ QUE MI PERFIL SERÁ TRANQUILO]

Yo sé que mi perfil será tranquilo
en el norte de un cielo sin reflejo:
Mercurio de vigilia, casto espejo
donde se quiebre el pulso de mi estilo.

5   Que si la yedra y el frescor del hilo
fue la norma del cuerpo que yo dejo,
mi perfil en la arena será un viejo
silencio sin rubor de cocodrilo.

Y aunque nunca tendrá sabor de llama
10 mi lengua de palomas ateridas
sino desierto gusto de retama,

libre signo de normas oprimidas
seré, en el cuello de la yerta rama
y en el sinfín de dalias doloridas.

(Diciembre de 1929)

VERSOS EN EL NACIMIENTO
DE MALVA MARINA NERUDA

Malva Marina, ¡quién pudiera verte
delfín de amor sobre las viejas olas,
cuando el vals de tu América destila
veneno y sangre de mortal paloma!

5   ¡Quién pudiera quebrar los pies oscuros
de la noche que ladra por las rocas
y detener al aire inmenso y triste
que lleva dalias y devuelve sombra!

El Elefante blanco está pensando
10   si te dará una espada o una rosa;
Java, llamas de acero y mano verde,
el mar de Chile, valses y coronas.

Niñita de Madrid, Malva Marina,
no quiero darte flor ni caracola;
15   ramo de sal y amor, celeste lumbre,
pongo pensando en ti sobre tu boca.

GUÍA DE LECTURA
por José Luis Ferris

ÍNDICE CRONOLÓGICO

1898: El 5 de junio nace Federico García Lorca en el pueblo de Fuente Vaqueros, provincia de Granada.

1898-1908: Pasa la infancia en Fuente Vaqueros y en la villa vecina de Asquerosa (hoy Valderrubio), donde se traslada la familia en 1906. Aprende a leer con su madre y asiste a la escuela de su pueblo natal, donde tiene como primer maestro a don Antonio Rodríguez Espinosa.

1909: En septiembre, la familia fija su residencia en Granada, donde Federico comienza sus estudios de bachillerato en el Colegio del Sagrado Corazón, dirigido por su tío don Joaquín Alemán.

1914: Se matricula en Filosofía y Letras y Derecho en la Universidad de Granada. Realiza las primeras lecturas literarias en la biblioteca de la universidad. Entabla amistad con otros jóvenes universitarios como Manuel Ángeles Ortiz, José Mora Guarnido, Melchor Fernández Almagro, Paquito Soriano, Antonio Gallego Burín y José Fernández Montesinos.

1915: Cursa estudios de piano y de guitarra. Se vincula al Centro Artístico de Granada, donde ofrece sus primeros conciertos. Inicia su amistad con Fernando de los Ríos, catedrático de Derecho y líder socialista, y con algunos artistas de Granada como Ismael de la Serna, Juan Cristóbal y el músico Ángel Barrios.

1915-1916: Comienza a frecuentar la tertulia literaria y artística de «El Rinconcillo», en el café Alameda. Escribe sus primeros poemas.

1917: En febrero publica su primer trabajo literario, un artículo sobre Zorrilla, en el *Boletín del Centro Artístico de Granada*. Realiza su primer viaje de estudios con la clase de Teoría de la Literatura y de las Artes, bajo la dirección del catedrático don Martín Domínguez Berrueta. Recorre varias regiones y ciudades de Castilla y Andalucía: Ávila, Burgos, Zamora, Baeza (donde se encuentra con Antonio Machado, profesor de francés en el instituto de la localidad). Conoce en Granada a Manuel de Falla, que descubre y estimula su vocación musical.

1918: Publica su primer libro, *Impresiones y paisajes*, dedicado a su viejo maestro de música Antonio Segura Mesa. Escribe los poemas «Balada triste» y «La oración de las rosas», primeros de su producción.

1919: En primavera se traslada a Madrid. Por consejo de don Fernando de los Ríos, se instala en la Residencia de Estudiantes, que dirige don Alberto Jiménez Fraud. Primeras amistades de la Residencia: Pepín Bello, Luis Buñuel, Emilio Prados, Salvador Dalí, José Moreno Villa. Escribe *El maleficio de la mari-*

posa. Conoce a los dramaturgos y directores teatrales Eduardo Marquina y Gregorio Martínez Sierra.

1920: El 22 de marzo se estrena en el teatro Eslava de Madrid su primera pieza dramática, *El maleficio de la mariposa*, bajo la dirección de Gregorio Martínez Sierra. Pasa el verano en Vega del Zujaira (Granada). Realiza una lectura en el Ateneo madrileño y asiste a las primeras tertulias literarias. Amplía su círculo de amistades: Adolfo Salazar, Guillermo de Torre, Gabriel García Maroto, Ángel del Río, José de Ciria y Escalante. Traslada su matrícula universitaria a la Facultad de Filosofía y Letras de la Universidad Central, pero apenas asiste a clase.

1921: En junio publica su primera obra poética, *Libro de poemas*, editada por su amigo Gabriel García Maroto, pintor e impresor. El 30 de julio aparece en el diario madrileño *El Sol* el primer artículo de crítica sobre su poesía, firmado por Adolfo Salazar. Celebra su primer encuentro con Juan Ramón Jiménez, que le invita a colaborar en su revista *Índice*. En noviembre escribe *Poema del cante jondo*.

1922: El 19 de febrero dicta su conferencia «El cante jondo. Primitivo cante andaluz» en el Centro Artístico de Granada. Los días 13 y 14 de junio se celebran las jornadas del Primer Concurso de Cante Jondo en Granada, organizado por Federico, Manuel de Falla e Ignacio Zuloaga.

1923: El 5 de enero ofrece en su casa de Granada una representación de su pieza de guiñol *La niña que riega la albahaca y el príncipe preguntón* en una fiesta infantil, con la colaboración musical de Falla.

Tras abandonar los estudios de Filosofía y Letras, en febrero acaba la licenciatura en Derecho en la Universidad de Granada. Realiza sus primeros trabajos como dibujante y pintor.

1924: El 7 de abril entra en contacto con el pintor Gregorio Prieto. En octubre entabla amistad con Rafael Alberti en la Residencia de Estudiantes. Trabaja en su libro de poemas *Canciones* y en su drama *Mariana Pineda*. Comienza a escribir las primeras composiciones de *Romancero gitano*.

1925: El 8 de enero acaba en Granada su pieza teatral *Mariana Pineda*. Pasa la primavera en Cadaqués, invitado por la familia de Salvador Dalí. Realiza una lectura de *Mariana Pineda* en casa de los Dalí. Durante el verano intensifica la correspondencia con Pepín Bello, Ana María Dalí y Jorge Guillén. Viaja a Lanjarón y a Málaga.

1926: El 13 de febrero lee en el Ateneo de Granada su conferencia «La imagen poética de don Luis de Góngora». El 8 de abril hace una lectura de poemas en el Ateneo de Valladolid, presentado por Jorge Guillén y Guillermo de Torre. En abril publica la «Oda a Salvador Dalí» en *Revista de Occidente*. Durante el verano concluye una primera versión de *La zapatera prodigiosa*. Aprovecha su estancia en Lanjarón en agosto para trabajar en los poemas de *Romancero gitano*.

1927: En febrero escribe el poema «Soledad» en homenaje a Góngora. Interviene en el proyecto de la revista *Gallo*. Publica su libro *Canciones*. Pasa el mes de mayo en Cadaqués, con Salvador Dalí, preparando el estreno de *Mariana Pineda*. El 24 de junio estrena en el teatro Gaya de Barcelona su drama *Mariana Pineda*, por la compañía de Margarita Xirgu. Del 25 de junio al 2 de julio expone veinticuatro dibujos en las Galerías Dalmau de Barcelona. Entabla amistad con Sebastià Gasch, con quien inicia una larga y frecuente correspondencia. El 12 de octubre se estrena en el teatro Fontalba de Madrid *Mariana Pineda*, con Margarita Xirgu. Se produce el encuentro con Vicente Aleixandre. En diciembre viaja a Sevilla con otros poetas de su generación, invitados por el Ateneo sevillano. Participa en todos los actos programados. Conoce a Luis Cernuda. Publica en la *Revista de Occidente* «Santa Lucía y San Lázaro».

1928: En febrero aparece la revista granadina *Gallo*. En julio se publica *Romancero gitano* en las Ediciones de la *Revista de Occidente*. Inicia correspondencia con Jorge Zalamea. En mayo sufre una «gran crisis sentimental». En septiembre publica *Mariana Pineda* en la colección «La Farsa». El 11 de octubre pronuncia en el Ateneo granadino su conferencia «Imaginación, inspiración, evasión». Interviene de nuevo en el Ateneo de Granada con su charla «Sketch de la nueva pintura», apoyándose en proyecciones de cuadros de Dalí y Miró. El 13 de diciembre lee en la Residencia de Estudiantes su conferencia «Las nanas infantiles». Publica en la *Revista de Occidente* su «Oda al Santísimo Sacramento del Altar». Se acentúa su crisis sentimental.

1929: En enero concluye su obra *Amor de don Perlimplín*. Trabaja en las *Odas* y prepara la segunda edición de *Canciones* para la *Revista de Occidente*. En marzo conoce al diplomático chileno Carlos Morla Lynch e inician una profunda amistad. En mayo, con Fernando de los Ríos, viaja a Estados Unidos, pasando por París y Londres. En junio llega a Nueva York, donde se instala en una habitación de estudiante de la Universidad de Columbia. Se produce el encuentro con Ángel del Río y otros amigos españoles. En agosto se encuentra en Vermont, en una granja de las montañas Catskills. En septiembre viaja a Newburgh, con Federica de Onís. De nuevo en Nueva York, entabla amistad con Herschel Brickell, Mildred Adams y Olin Downes. Se encuentra con Dámaso Alonso, Gabriel García Maroto, León Felipe y José Antonio Rubio Sacristán. El 16 de diciembre, junto con el torero Ignacio Sánchez Mejías, asiste al homenaje a Antonia Mercé, *La Argentina*, en el Instituto de las Españas de Nueva York.

1930: Continúa su estancia en Nueva York. Imparte conferencias en la Universidad de Columbia y en el Vassar College. Escribe gran parte de *La zapatera prodigiosa* y adapta canciones populares para el repertorio de La Argentinita. En primavera viaja a Cuba, invitado por la Institución Hispano-Cubana de Cultura. Da una serie de conferencias en La Habana y trabaja en dos piezas dramáticas: *Así que pasen cinco años* y *El público*. Se encuentra con Adolfo Salazar y con el grupo de poetas cubanos de la revista *Avance*. El 17 de junio regresa a España. El 24 de diciembre se estrena en el teatro Español de Madrid *La zapatera prodigiosa*, por la compañía de Margarita Xirgu, dirigida por Cipriano Rivas Cherif.

1931: En mayo publica *Poema del cante jondo* en Ediciones Ulises (Compañía Iberoamericana de Publicaciones). Trabaja en *Así que pasen cinco años* y *Retablillo de don Cristóbal*. El 4 de octubre realiza una lectura, en casa de Carlos Morla Lynch, de *Así que pasen cinco años*. En noviembre trabaja en el proyecto del teatro universitario La Barraca.

1932: De marzo a mayo, invitado por el Comité de Cooperación Intelectual, emprende una gira para dar conferencias en Valladolid, Sevilla, Salamanca, Galicia y San Sebastián. El 16 de marzo realiza una lectura de *Poeta en Nueva York* en el Lyceum Club de Madrid. En julio, La Barraca hace su primera representación teatral en Burgo de Osma. Pasa el verano dirigiendo las actuaciones de La Barraca. En septiembre celebra una lectura de *Bodas de sangre* en casa de Morla Lynch. Los meses de noviembre y diciembre viaja con La Barraca a Granada, Barcelona y Alicante. El 16 de diciembre imparte una conferencia en Barcelona y lee poemas de *Poeta en Nueva York*.

1933: El 8 de marzo se produce el estreno de *Bodas de sangre* en el teatro Infanta Beatriz, de Madrid, por la compañía de Josefina Díaz de Artigas. En abril funda, con Pura Ucelay, los Clubs Teatrales de Cultura. El 5 de abril se estrena en el teatro Español de Madrid *Amor de don Perlimplín con Belisa en su jardín*. En mayo colabora en la representación de *El amor brujo*, de Falla, en la Residencia de Estudiantes, donde también interviene La Argentinita. En verano trabaja en *Yerma*, su nuevo drama, y dirige La Barraca en la Universidad de Verano de Santander. En septiembre viaja a Argentina y Uruguay. Permanece en Buenos Aires hasta el 24 de marzo de 1934. Da numerosas conferencias y dirige, en los teatros de la capital argentina, sus obras *Mariana Pineda*, *Bodas de sangre* y *La zapatera prodigiosa*. Cosecha un éxito rotundo.

1934: Desde finales de enero a comienzos de febrero permanece en Montevideo, donde da conferencias y asiste a un homenaje al pintor Barradas. Conoce a Pablo Neruda, con quien comparte varias conferencias. El 3 de marzo dirige su adaptación de *La dama boba*, de Lope de Vega, en el teatro de la Comedia de Buenos Aires. Se estrena en el teatro Avenida *Retablillo de don Cristóbal*. El 24 de marzo regresa a España, tras hacer escala en Río de Janeiro. En mayo, sus amigos le ofrecen un banquete de homenaje en Madrid. En verano trabaja en las últimas escenas de *Yerma* y dirige La Barraca en Santiago y Santander. El 13 de agosto muere su gran amigo Ignacio Sánchez Mejías, corneado por un toro, en la plaza de Manzanares. En septiembre escribe el *Llanto por Ignacio Sánchez Mejías*. El 29 de diciembre estrena, en el teatro Español de Madrid, su drama *Yerma*, por la compañía de Margarita Xirgu.

1935: El 2 de febrero pronuncia una «Charla sobre teatro» en el teatro Español, con motivo de una representación extraordinaria de *Yerma*. El 18 de marzo se estrena la versión ampliada de *La zapatera prodigiosa*, en el teatro Coliseum de Madrid, por la compañía de Lola Membrives. En abril, en el palacio del Alcázar de Sevilla, lee para unos amigos el *Llanto por Ignacio Sánchez Mejías*. El 11 de mayo, con motivo de la Feria del Libro de Madrid, dirige su pieza *El retablillo de don Cristóbal* en el guiñol La Tarumba, con la colaboración del pintor Miguel Prieto. En junio termina *Doña Rosita la Soltera*. En septiembre viaja a Barcelona para dirigir los ensayos de *Yerma*, cuyo estreno tiene lugar el día 17, por la compañía de Lola Membrives. El 13 de diciembre se estrena *Doña Rosita* en el teatro Principal Palace de Barcelona. El 23 de diciembre, sus amigos catalanes le ofrecen un banquete de homenaje para celebrar sus éxitos.

1936: En enero publica *Bodas de sangre* y *Primeras canciones*. El 9 de febrero participa en el homenaje a Rafael Alberti y María Teresa León. El 14 de febrero interviene en la función de homenaje a Valle-Inclán en el teatro de la Zarzuela. En marzo viaja a San Sebastián. En el Ateneo Guipuzcoano dedica su intervención a *Romancero gitano*, sobre el que imparte una conferencia y realiza una lectura de poemas. Allí se encuentra con el poeta Gabriel Celaya. El 7 de abril, en una entrevista para el diario *La Voz*, anuncia su propósito de viajar a México para dirigir sus obras, que serán representadas por la compañía de Margarita Xirgu. El 19 de abril organiza un banquete de homenaje a Luis Cernuda por la publicación de *La realidad y el deseo*. El 19 de junio termina *La casa de Bernarda Alba*, que lee el 24 en casa de los condes de Yebes. El 12 de julio realiza una nueva lectura de *La casa de Bernarda Alba*, en casa del doctor Eusebio Oliver. El 13 de julio parte para Granada. Estando en la casa familiar, el 17 de julio se produce el alzamiento militar contra el Gobierno de la República. En agosto es detenido y conducido a Víznar, donde es fusilado en la madrugada del día 18.

TEXTOS COMPLEMENTARIOS

1. FEDERICO GARCÍA LORCA: EL HOMBRE

1.1. *Una semblanza, por Vicente Aleixandre*

Pocos poetas y amigos tuvieron la sensibilidad de Vicente Aleixandre para describir la personalidad de Federico García Lorca, compañero de generación y de momentos de mutua confianza. Un año después del asesinato del autor granadino, Aleixandre le dedicaba las siguientes palabras de recuerdo desde las páginas de la revista *Hora de España*, en plena Guerra Civil:

> A Federico se le ha comparado con un niño, se le puede comparar con un ángel, con un agua («mi corazón es un poco de agua pura», decía él en una carta), con una roca; en sus más tremendos momentos era impetuoso, clamoroso, mágico como una selva. Cada cual le ha visto de una manera. Los que le amamos y convivimos con él le vimos siempre el mismo, único y, sin embargo, cambiante, variable como la misma Naturaleza. Por la mañana se reía tan alegre, tan clara, tan multiplicadamente como el agua del campo, de la que

parecía siempre que venía de lavarse la cara. Durante el día evocaba campos frescos, laderas verdes, llanuras, rumor de olivos grises sobre la tierra ocre; en una sucesión de paisajes españoles que dependían de la hora de su estado de ánimo, de la luz que despidieran sus ojos; quizá también de la persona que tenía enfrente. Yo le he visto en las noches más altas, de pronto, asomado a unas barandas misteriosas, cuando la luna correspondía con él y le plateaba su rostro; y he sentido que sus brazos se apoyaban en el aire, pero que sus pies se hundían en el tiempo, en los siglos, en la raíz remotísima de la tierra hispánica, hasta no sé dónde, en busca de esa sabiduría profunda que llameaba en sus ojos, que quemaba en sus labios, que encandecía su ceño de inspirado. No, no era un niño entonces. ¡Qué viejo, qué viejo, qué «antiguo», qué fabuloso y mítico! Que no parezca irreverencia: sólo algún viejo «cantaor» de flamenco, sólo alguna vieja «bailaora», hechos ya estatuas de piedra, podrían serle comparados. Sólo una remota montaña andaluza sin edad, entrevista en un fondo nocturno, podría entonces hermanársele.

No hay quien pueda definirle. Su presencia, comparable quizá sólo y justamente con el tifón que asume y arrebata, traía siempre asociaciones de lo sencillo elemental. Era tierno como una concha de la playa. Inocente en su tremenda risa morena, como un árbol furioso. Ardiente en sus deseos, como un ser nacido para la libertad. Y tenía para su obra futura un instinto tan primario de defensa, que no puede por menos de traerme la memoria de un genio: Goethe. Con una diferencia, y es que Federico era incapaz de la fría serenidad con que aquel Júpiter encadenó el complicado mecanismo de sus instintos y pasiones y lo redujo a ruedas dentadas al servicio de su rendimiento intelectual. En Federico todo era inspiración, y su vida, tan hermosamente de acuerdo con su obra, fue el triunfo de la libertad, y entre su vida y su obra hay un intercambio espiritual y físico tan constante, tan apasionado y fecundo, que las hace eternamente inseparables e indivisibles. En este sentido, como en otros muchos, me recuerda a Lope.

En Federico, que pasaba mágicamente por la vida, al parecer sin apoyarse; que iba y venía ante la vista de sus amigos con algo de genio alado que dispensa gracias, hace feliz un momento y escapa en seguida como la luz, que él se llevaba efectivamente; en Federico se veía sobre todo al poderoso encantador, disipador de tristezas, hechicero de la alegría, conjurador del gozo de la vida, dueño de las sombras, a las que él desterraba con su presencia. Pero yo gusto a veces de evocar a solas otro Federico, una imagen suya que no todos han visto: al noble Federico de la tristeza, al hombre de la soledad y pasión que en el vértigo de su vida de triunfo difícilmente podía adivinarse. He hablado antes de esa nocturna testa suya, macerada por la luna, ya casi amarilla de piedra, petrificada como un dolor antiguo. «¿Qué te duele, hijo?», parecía preguntarle la luna. «Me duele la tierra, la tierra y los hombres, la carne y el alma humana, la mía y la de los demás, que son uno conmigo.»

En las altas horas de la noche, discurriendo por la ciudad, o en una tabernita (como él decía), casa de comidas, con algún amigo suyo, entre sombras humanas, Federico volvía de la alegría, como de un remoto país, a esta dura realidad de la tierra visible y del dolor visible. El poeta es el ser que acaso carece de límites corporales. Su silencio repentino y largo tenía algo de silencio de río, y en la alta hora, oscuro como un río ancho, se le sentía fluir, fluir, pasándole por su cuerpo y su alma sangres, remembranzas, dolor, latidos de otros corazones y otros seres que eran él mismo en aquel instante, como el río en todas las aguas de su cuerpo, pero no límite. La hora muda de Federico era la hora del poeta, hora de soledad, pero de soledad generosa porque es cuando el poeta siente que es la expresión de todos los hombres.

Su corazón no era ciertamente alegre, era capaz de toda la alegría del Universo; pero su sima profunda, como la de todo gran poeta, no era la de la alegría. Quienes le vieron pasar por la vida como un ave llena de colorido, no le conocieron. Su corazón era como pocos apasionado, y una capacidad de amor y de sufrimiento ennoblecía cada día más aquella noble frente. Amó mucho, cualidad que algunos superficiales le negaron. Y sufrió por amor, lo que probablemente nadie supo. Recordaré siempre la lectura que me hizo,

tiempo antes de partir para Granada, de su última obra lírica, que no habíamos de ver terminada. Me leía sus *Sonetos
del amor oscuro*, prodigio de pasión, de entusiasmo, de felicidad, de tormento, puro y ardiente monumento al amor, en
que la primera materia es ya la carne, el corazón, el alma del
poeta en trance de destrucción. Sorprendido yo mismo, no
pude menos que quedarme mirándole y exclamar: «Federico, ¡qué corazón! ¡Cuánto ha tenido que amar, cuánto que
sufrir!». Me miró y se sonrió como un niño. Al hablar así no
era yo probablemente el que hablaba. Si esa obra no se ha
perdido; si, para honor de la poesía española y deleite de las
generaciones hasta la consumación de la lengua, se conservan en alguna parte los originales, cuántos habrá que sepan,
que aprendan y conozcan la capacidad extraordinaria, la hondura y la calidad sin par del corazón de su poeta.

Vicente ALEIXANDRE, «Federico», en *Hora de España*,
núm. VII, Valencia, julio de 1937, págs. 43-45.

1.2. *Una semblanza, por Carlos Morla Lynch*

En 1929, poco antes de viajar a Nueva York, Lorca conoce al diplomático chileno Carlos Morla Lynch, que acababa de llegar a la capital de España. Desde ese encuentro y
hasta la muerte del poeta, la amistad entre ambos fue intensa y continua. Morla y su esposa Bebé se convirtieron
en confidentes del granadino, hasta el punto de que su hogar madrileño pasó a ser una segunda casa para el autor
de *Romancero gitano*. En las siguientes líneas reproducimos un fragmento del diario de Morla Lynch en el que describe las impresiones que Federico le causó en su primer
encuentro:

Lo oigo subir la escalera —pasos lentos, bien aploma-
dos— y detenerse frente a la puerta; pero antes de que toque el timbre ya le he abierto.

En el umbral, un muchacho joven, de regular estatura, exento de esbeltez, sin ser espeso, de cabeza grande, potente, de rostro amplio constelado de estrellas brunas… que son lunares. Ojos sombríos, pero risueños: esa paradoja de alegrías y tristezas reunidas que realiza en sus poemas. Cabellera abundante que no empaña una frente ligeramente abombada como un liso broquel ebúrneo. Ninguna severidad en la mirada ni ceño austero. Por el contrario: un alborozo de chiquillo con una veta de travesura y algo de «muy sano» y de campestre. Pero tiene que ser «esa campiña suya», campo de Andalucía: granadino, cordobés o sevillano.

No se puede afirmar que es guapo, pero tampoco que no lo es, por cuanto posee una vivacidad que todo lo suple y «un no sé qué» de muy abierto en su fisonomía que reconforta y tranquiliza de buenas a primeras, que luego seduce y que, por último, conquista definitivamente. Y ninguna de esas actitudes absurdas con que los pedantes pretenden acreditar su cultura.

Tras de esa primera impresión que de él tengo —y que registro con la rapidez de una instantánea—, le tiendo las dos manos.

—Federico —le digo—: ¡amigos! Tú como eres y yo como soy, sin esforzarnos por aparentar más de los que somos. Tú vienes ya muy cargado de laureles y, si yo tengo algunas virtudes y «defectos buenos», ya te enterarás de ellos a su tiempo.

Y Federico, con mis dos manos cogidas en las suyas, se ríe con esa risa mágica de niño permanente y me infunde la sensación de que patea como un poney sujeto. Luego habla. Su voz es baja, ronca; pero no evoca cavernas: más bien grutas a orillas del mar.

—¿Y por qué te ha costado tanto trabajo venir? —le pregunto.

—Tenía miedo —responde sencillamente— porque «no sabía»…; vamos, que no sabía cómo erais; pero ahora que lo sé y estoy aquí…, aquí me quedo.

Y, con una nueva risotada, se repantinga en una silla de columpio, en la que comienza a balancearse como en carroza de tiovivo. Luego cambia de ubicación diez veces diciendo «cosas» y contando cuentos. Y dan las siete, las ocho, las nueve, sin sentir. A las diez —hora española— cenamos con él. De sobremesa nos dan las doce, oyéndole hablar siempre. Nos tiene atados a su elocuencia, que fluye libre de toda fastuosidad, que conmueve al tiempo que obsesiona por su diversidad y rapidez, su colorido y amenidad: caleidoscopio que, por momentos, adquiere los resplandores rutilantes de los fuegos artificiales.

Carlos MORLA LYNCH, *En España con Federico García Lorca,* Sevilla, Renacimiento, 2008, págs. 62-63.

1.3. *Una semblanza, por Dámaso Alonso*

Dámaso Alonso fue otro de los «compañeros de viaje» de Federico. Celebraron juntos el sonado tricentenario de la muerte de Góngora en Sevilla y posaron en la histórica foto que dio visibilidad a la que pronto se conocería como Generación del 27. La admiración que Dámaso siempre profesó por Lorca se vio acrecentada cuando ambos se encontraron en Nueva York en 1929 y el primero pudo comprobar la fascinación que el poeta despertaba siempre y en cualquier lugar:

El éxito social del hombre «Federico García Lorca» es, antes que nada, un éxito español. En España él se convierte en el centro atractivo de cualquier grupo de amigos, de cualquier reunión donde se encuentre. Tiene un tesoro inacabable de gracias, se ríe con sonoras carcajadas y contagia al más melancólico. Ahora se pone con una servilleta las barbas de Valle-Inclán; ahora parpadea y habla sorbiéndose las pausas, como Gerardo Diego; ahora arrastra las erres guturales de Max Aub; ahora pinta «putrefactos». No dotes inconexas e insignificantes de juglar, sino formidable poder de captación de todas las formas vitales... Pero estamos ahora en Nueva York, en una *wild party*, por el capricho de un millonario americano: dispersión total por los amplios salones en pequeños grupos gesticulantes, donde los brebajes empiezan a producir su efecto. De repente, aquella masa alocada y disgregada se polariza hacia un piano. ¿Qué ha ocurrido? Federico se ha puesto a tocar y cantar canciones españolas. Aquella gente no sabe español ni tiene la menor idea de España. Pero es tal la fuerza de expresión, que en aquellos cerebros tan lejanos se abre la luz que no han visto nunca y en sus corazones muerde el suave amargo que no han conocido.

Dámaso ALONSO, «Federico García Lorca y la expresión de lo español», en *Poetas españoles contemporáneos*, Madrid, Gredos, 1958, pág. 275.

1.4. *Una semblanza, por Rafael Alberti*

El otro compañero de grupo que dejó numerosos testimonios y recuerdos de García Lorca en sus memorias fue Rafael Alberti, poeta andaluz de la bahía gaditana. En su libro *Imagen primera de...* recuerda a Federico en aquellos años veinte, cuando se conocieron en la Residencia de Estudiantes de Madrid:

Era García Lorca entonces un muchacho delgado, de frente ancha y larga, sobre la que temblaba a veces, índice de su exaltada pasión y lirismo, un intenso mechón de pelo negro, «empavonado», como el del Antonio Camborio de su *Romancero*. Tenía la piel morena, rebajada por un «verde aceituna», término comparativo éste que se emplea mucho por Andalucía, la tierra española más rica en olivares. Su cara no era alegre, aunque una larga sonrisa, transformable rápidamente en carcajada, pusiera en ella esa expresión de contagioso optimismo, de fuego desbocado, que tan perdurable recuerdo dejaba, incluso en aquellos que tan sólo le vieron un instante.

El aspecto total de Federico no era de gitano, sino de ese hombre oscuro, bronco y fino a la vez que da el campo andaluz. Una descarga como de eléctrica simpatía, un hechizo, una irresistible atmósfera de magia para envolver y aprisionar a sus auditores, se desprendían de él cuando hablaba, recitaba, representaba veloces ocurrencias teatrales, o cantaba, acompañándose al piano. Porque en todas partes García Lorca encontraba un piano.

Rafael ALBERTI, *Imagen primera de…*, Madrid, Turner, 1975, págs. 18-19.

1.5. *Testimonio poético, por Miguel Hernández*

A la muerte de Federico García Lorca, una vez confirmado el rumor de su asesinato, el poeta Miguel Hernández escribió «Elegía primera», un poema sobrecogedor en el que evoca las virtudes del autor andaluz y la proyección universal que Lorca había alcanzado. El valor y el significado de esta composición justifican su publicación en 1937 encabezando un libro también emblemático como fue *Viento del pueblo*. Dada la extensión del poema, reproducimos a continuación sólo algunas estrofas del mismo.

> Atraviesa la muerte con herrumbrosas lanzas,
> y en traje de cañón, las parameras
> donde cultiva el hombre raíces y esperanzas,
> y llueve sal, y esparce calaveras.
>
> [...]
>
> Entre todos los muertos de elegía,
> sin olvidar el eco de ninguno,
> por haber resonado más en el alma mía,
> la mano de mi llanto escoge uno.

Federico García
hasta ayer se llamó: polvo se llama.
Ayer tuvo un espacio bajo el día
que hoy el hoyo le da bajo la grama.

¡Tanto fue! ¡Tanto fuiste y ya no eres!
Tu agitada alegría,
que agitaba columnas y alfileres,
de tus dientes arrancas y sacudes,
y ya te pones triste, y sólo quieres
ya el paraíso de los ataúdes.

[...]

Cegado el manantial de tu saliva,
hijo de la paloma,
nieto del ruiseñor y de la oliva:
serás, mientras la tierra vaya y vuelva,
esposo siempre de la siempreviva,
estiércol padre de la madreselva.

¡Qué sencilla es la muerte: qué sencilla,
pero qué injustamente arrebatada!
No sabe andar despacio, y acuchilla
cuando menos se espera su turbia cuchillada.

Tú, el más firme edificio, destruido,
tú, el gavilán más alto, desplomado,
tú, el más grande rugido,
callado, y más callado, y más callado.

[...]

Muere un poeta y la creación se siente
herida y moribunda en las entrañas.
Un cósmico temblor de escalofríos
mueve temiblemente las montañas,
un resplandor de muerte la matriz de los ríos.

[...]

Por hacer a tu muerte compañía,
vienen poblando todos los rincones
del cielo y de la tierra bandadas de armonía,
relámpagos de azules vibraciones.
Crótalos granizados a montones,
batallones de flautas, panderos y gitanos,
ráfagas de abejorros y violines,
tormentas de guitarras y pianos,
irrupciones de trompas y clarines.

[...]

Rodea mi garganta tu agonía
como un hierro de horca
y pruebo una bebida funeraria.
Tú sabes, Federico García Lorca,
que soy de los que gozan una muerte diaria.

2. EN TORNO A LA OBRA POÉTICA DE GARCÍA LORCA

2.1. *El poeta define la poesía*

En 1932, Gerardo Diego publicó un libro que pasaría a la historia de la literatura española: *Poesía española. Antología 1915-1932* (Madrid, Signo, 1932). Se trataba de la primera selección lírica que daba a conocer, en buena medida, a los miembros de una promoción igualmente histórica: la Generación del 27. García Lorca fue invitado a incluir en esa antología algunos de sus poemas acompañados de una poética, es decir, de una declaración personal sobre lo que, por esas fechas, era para él la poesía. El texto del joven autor granadino decía así:

Pero ¿qué voy a decir yo de la Poesía? ¿Qué voy a decir de esas nubes, de ese cielo? Mirar, mirar, mirarlas, mirarle, y nada más. Comprenderás que un poeta no puede decir nada de la Poesía. Eso déjaselo a los críticos y profesores. Pero ni tú ni yo ni ningún poeta sabemos lo que es la Poesía.

Aquí está; mira. Yo tengo el fuego en mis manos. Yo lo enciendo y trabajo con él perfectamente, pero no puedo hablar de él sin literatura. Yo comprendo todas las poéticas; podría hablar de ellas si no cambiara de opinión cada cinco minutos. No sé. Puede que algún día me guste la poesía mala muchísimo, como me gusta (nos gusta) hoy la música mala con locura. Quemaré el Partenón por la noche, para empezar a levantarlo por la mañana y no terminarlo nunca.

En mis conferencias he hablado a veces de la Poesía, pero de lo único que no puedo hablar es de mi poesía. Y no porque sea un inconsciente de lo que hago. Al contrario, si es verdad que soy poeta por la gracia de Dios, o del demonio, también lo es que lo soy por la gracia de la técnica y del esfuerzo, y de darme cuenta en absoluto de lo que es un poema.

Publicado en *Poesía española. Antología 1915-1932* (selección de Gerardo Diego), Madrid, Signo, 1932.

2.2. Libro de poemas

El poeta dedica su primera obra poética a Francisco García Lorca, su hermano. El libro se inicia con unas «Palabras de justificación» que nos ayudan a imaginar cómo entendía el joven autor, a los veinte años, la poesía y por dónde iban sus gustos estéticos:

Ofrezco en este libro, todo ardor juvenil y tortura, y ambición sin medida, la imagen exacta de mis días de adolescencia y juventud, esos días que enlazan el instante de hoy con mi misma infancia reciente.

En estas páginas desordenadas va el reflejo fiel de mi corazón y de mi espíritu, teñido del matiz que le prestara, al poseerlo, la vida palpitante en torno recién nacida para mi mirada.

Se hermana el nacimiento de cada una de estas poesías que tienes en tus manos, lector, al propio nacer de un brote nuevo del árbol músico de mi vida en flor. Ruindad fuera el menospreciar esta obra que tan enlazada está a mi propia vida.

Sobre su incorrección, sobre su limitación segura, tendrá este libro la virtud, entre otras muchas que yo advierto, de recordarme en todo instante mi infancia apasionada correteando desnuda por las praderas de una vega sobre un fondo de serranía.

2.3. Suites

Sabemos que las *Suites*, escritas entre 1921 y 1923, son un conjunto de composiciones breves, con estructura musical, que tratan el mismo tema a través de variaciones. Lorca nunca concluyó la tarea de reunirlas para ser editadas en forma de libro. Acabaron dispersas en revistas y en cuartillas que regalaba a sus amigos, hasta que, en 1983, André Belamich hizo una laboriosa reconstrucción y las sacó a la luz. Allí descubrimos a un poeta diferente, recogido en su interior, realizando confesiones íntimas, privadas, que a través de la simbolización se trasfiguran y suavizan detrás de audaces metáforas. Encabezando uno de esos poemas, el titulado «En el jardín de las toronjas de luna», Lorca escribe un prólogo que condensa el verdadero sentido del libro, un viaje iniciático hacia tierras extrañas —un jardín, un bosque— en el que le será permitido contemplar todos los caminos que pudo haber tomado en la vida, todo lo que pudo haber sido:

Asy como la sombra nuestra vida se va,
que nunca más torna nyn de nos tornará.

Pero LÓPEZ DE AYALA, *Consejos morales*

Me he despedido de los amigos que más quiero para emprender un corto pero dramático viaje. Sobre un espejo de plata me encuentro, mucho antes de que amanezca, el maletín con la ropa que debo usar en la extraña tierra a que me dirijo.

El perfume tenso y frío de la madrugada bate misteriosamente el inmenso acantilado de la noche.

En la página tersa del cielo tiembla la inicial de una nube, y debajo de mi balcón un ruiseñor y una rana levantan en el aire un aspa soñolienta de sonido.

Yo, tranquilo pero melancólico, hago los preparativos embargado por sutilísimas emociones de alas y círculos concéntricos. Sobre la blanca pared del cuarto, yerta y rígida como una serpiente de museo, cuelga la espada gloriosa que llevó mi abuelo en la guerra contra el rey don Carlos de Borbón.

Piadosamente descuelgo la espada, vestida de herrumbre amarillenta como un álamo blanco, y me la ciño recordando que tengo que sostener una gran lucha invisible antes de entrar en el jardín, lucha extática y violentísima con mi enemigo secular: el gigantesco dragón del Sentido Común.

Una emoción aguda y elegiaca por las cosas que no han sido, buenas y malas, grandes y pequeñas, invade los parajes de mis ojos, casi ocultos por unas gafas de luz violeta, una emoción amarga que me hace caminar hacia este jardín que se estremece en las últimas llanuras del aire.

Los ojos de todas las criaturas golpean como puntos fosfóricos sobre las paredes del porvenir... lo de atrás se queda lleno de maleza amarilla, huertos sin frutos y ríos sin aguas. Jamás ningún hombre cayó de espaldas sobre la muerte. Pero yo, por un momento contemplando ese paraje abandonado e infinito, he visto planos de vida inédita múltiples y superpuestos los cangilones de una noria sin fin.

Antes de marchar siento un dolor agudo en el corazón. Mi familia duerme y toda la casa está en un reposo absoluto.

El alba, revelando torres y contando una a una las hojas de los árboles, me pone un crujiente vestido de encaje lumínico.

Algo se me olvida… no me cabe la menor duda ¡tanto tiempo preparándome! y… ¿Señor, qué se me olvida? ¡Ah! un pedazo de madera… un trozo de cerezo sonrosado y compacto.

Creo que hay que ir bien presentado… De una jarra con flores puestas sobre mi mesilla me pendo en el ojal siniestro una gran rosa pálida que tiene un rostro enfurecido pero hierático.

Y es la hora.

(En las bandejas irregulares de las campanadas vienen los kikiriquís de los gallos.)

2.4. Poema del cante jondo

Mucho se ha escrito y hablado sobre el sentido y la intención de *Poema del cante jondo*, segundo libro de la producción poética de Lorca y que fue compuesto de una tirada en noviembre de 1921, al hilo de los preparativos del Primer Concurso del Cante Jondo celebrado en Granada en 1922. Entre los estudios sobre la obra, hemos seleccionado un texto del poeta y profesor Luis García Montero en el que aportan datos de interés que arrojan luz sobre este libro:

> García Lorca define su libro como «un puzzle americano» en la carta de enero de 1922 a Adolfo Salazar. Destacaba su unidad, el mundo único que completaban sus distintos fragmentos. Las *Suites* reunían poemas compuestos con variaciones sobre un motivo central. Este juego de variaciones pasa ahora del poema a la idea del libro unitario con el horizonte del cante jondo como eje. En realidad, el escenario

último es una Andalucía mítica, ámbito del diálogo primitivo entre el deseo y la muerte. Las tensiones de ese diálogo serán proyectadas en una naturaleza sobrecargada de fuerzas simbólicas. [...]

Hoy podemos caer en la tentación de pensar que García Lorca repite con más o menos facilidad un mundo de tópicos andaluces. La verdad es que ese mundo fue una creación personal suya. El éxito alcanzado y su contagio llevan con el paso de los años a la confusión cuando se hacen consideraciones sobre la originalidad y el tópico. García Lorca fue un poeta fuerte, de los que crearon un mundo y lo situaron en el centro de la tradición lírica. En la piel imaginaria del Sur, en el cante jondo, allí donde es posible encontrar un origen primitivo de las tensiones entre la vida y la muerte, o entre el amor y la pena, García Lorca procuró crear una realidad mítica en la que cada palabra, cada imagen, cada personaje, se sometiese a un significado simbólico y universal sobre el devenir humano.

Luis GARCÍA MONTERO, «Introducción», en Federico GARCÍA LORCA, *Poema del cante jondo*, Barcelona, Austral, 2017, págs. 51-52.

2.5. Canciones

Lorca escribió entre 1921 y 1924 un extenso conjunto de poemas en los que reflejaba su amor y su deuda con la tradición, con el folclore literario y musical andaluz, con la sonoridad y el misterio de sus canciones, pero siempre desde una voluntad de trascender lo popular. El profesor Eutimio Martín captó con buen tino esta faceta juglaresca de García Lorca en diferentes estudios. El siguiente párrafo dedicado al libro *Canciones* es un ejemplo de ello:

[...] la inserción de su poesía en la canción popular obedece también a una necesidad interna de la condición de poeta. A Lorca le interesa aprender la lección de la sobriedad (y, por consiguiente, de la intensidad) expresiva. Si, como afirma Antonio Machado y Álvarez: «la mejor poesía es la que dice más en menos palabras» no hay duda de que lo que cantan el niño y el adulto es una poesía ejemplar.

> Causa extrañeza —reconoce en público el propio Lorca— y maravilla cómo el anónimo poeta del pueblo extracta en tres o cuatro versos toda la rara complejidad de los más altos momentos sentimentales en la vida del hombre. Hay coplas en que el temblor lírico llega a un punto donde no pueden llegar sino contadísimos poetas.

Y, por encima de todo, Lorca no quiere romper las prístinas ataduras que ligan a la poesía con el canto. Y no sólo por no querer desprenderse del cordón umbilical que le pone en comunicación con las entrañas mismas donde se fecundó la primera manifestación poética, sino, en fin de cuentas, porque únicamente la música, esto es, el tono emocional, puede dar al verso recitado un alcance que el meramente escrito no puede conseguir.

Eutimio MARTÍN, «Introducción», en Federico García Lorca, *Antología comentada (I, Poesía)*, Madrid, Ediciones de la Torre, 1988, pág. 168.

2.6. Romancero gitano

El rotundo éxito que Lorca obtuvo con su libro *Romancero gitano* vino acompañado de severas críticas por parte de algunos compañeros y amigos, como Juan Ramón Jiménez, Salvador Dalí o José Bergamín. El poeta temía desde el primer momento que confundieran su nueva obra con una manifestación populachera y frívola del peor folclore andaluz. Quizá por temor a esa reacción injusta y ligera acompañó con las siguientes palabras —de un gran valor testimonial— el acto de presentación y lectura de *Romancero gitano*:

El libro en conjunto, aunque se llama *gitano*, es el poema de Andalucía, y lo llamo *gitano* porque el gitano es lo más elevado, lo más profundo, más aristocrático de mi país, lo más representativo de su modo y el que guarda el ascua, la sangre y el alfabeto de la verdad andaluza universal.

Así pues, el libro es un retablo de Andalucía, como gitanos, caballos, arcángeles, planetas, con su brisa judía, con su brisa romana, con ríos, con crímenes, con la nota vulgar del contrabandista y la nota celeste de los niños desnudos de Córdoba que burlan a San Rafael. Un libro donde apenas si está expresada la Andalucía que se ve, pero donde está temblando la que no se ve. Y ahora lo voy a decir. Un libro antipintoresco, antifolclórico, antiflamenco, donde no hay ni una chaquetilla corta, ni un traje de torero, ni un sombrero plano, ni una pandereta; donde las figuras sirven a fondos milenarios y donde no hay más que un solo personaje, grande y oscuro como un cielo de estío, un solo personaje que es la Pena, que se filtra en el tuétano de los huesos y en la savia de los árboles, y que no tiene nada que ver con la melancolía, ni con la nostalgia, ni con ninguna otra aflicción o dolencia del ánimo; que es un sentimiento más celeste que terrestre; pena andaluza que es una lucha de la inteligencia amorosa con el misterio que la rodea y no puede comprender.

Federico GARCÍA LORCA, «Conferencia-recital del *Romancero gitano*», *Obras Completas*, vol. III, Barcelona, Galaxia Gutenberg, 1996, pág. 179.

2.7. Poeta en Nueva York

Sobre el significado de un libro de las dimensiones líricas (incluso épicas) de *Poeta en Nueva York*, recogemos los comentarios del profesor Piero Menarini y del especialista lorquiano Miguel García-Posada, que ofrecen una visión complementaria y muy orientadora sobre la obra.

Como antes en España, también ahora en Nueva York Lorca se mueve desde lo particular del presente (los gitanos, los negros) hacia lo universal sin tiempo (el mito de los orígenes). En otros términos, la poesía se expande del yo al nosotros, de lo uno al todo, de la historia a lo metafísico. Y en esta gran metáfora de la vida y del hombre (o de la vida humana) que recoge y condensa los centenares de metáforas del libro, es quizá donde el personal surrealismo de Lorca adquiere su mayor eficacia y creatividad.

La capacidad de formular asociaciones verbales imposibles para la lógica lingüística racional permite a la poesía superar constantemente los límites de la experiencia sensible y descubrir las verdades escondidas, quizá las definitivas. Es decir, el lenguaje poético más que instrumento de expresión es ante todo instrumento de búsqueda de lo que se encuentra más allá de la fachada de las cosas y de los hechos.

No cabe duda de que para Lorca ésta es la función (si de función se puede hablar) de la escritura poética, incluso prescindiendo de la experiencia surrealista que, en cualquier caso, emprendió mucho antes de la estancia neoyorquina.

Piero MENARINI, «Introducción», en Federico García Lorca, *Poeta en Nueva York*, Barcelona, Austral, 2011, pág. 20.

Los poemas neoyorkinos son diferentes de los otros poemarios, como todos los conjuntos de Lorca lo son entre sí; pero no distintos, no heterogéneos. La clave estilística dominante reside en su simbolismo, densísimo y nacido sobre un caudal metafórico impresionante. [...] Se configuran así unos elementos simbólicos de extraordinaria riqueza y complejidad, que acaban alojándose en unidades superiores: símbolos míticos, de fuerte base alegórica y de filiación bíblica. (La Biblia es una de las grandes suministradoras de materiales a los poemas neoyorkinos.) [...]

[*Poeta en Nueva York*] se ha impuesto definitivamente como una de las mayores expresiones de la poesía de nuestra época. Él es el que, en mayor, aunque no única, medida, otorga a Lorca su rango de intérprete excepcional de nuestro tiempo, al lado de Kafka, Joyce, Eliot o Pound. Poemas estos de expresión individual y colectiva. Líricos y épicos, íntimos y corales. Desgarrados pero de precisión hiriente, justicieros pero traspasados de humanismo fraternal.

Miguel GARCÍA-POSADA, «Introducción», en Federico García Lorca, *Obras*, II, *Poesía, 2*, Madrid, Akal, 1989, págs. 67 y 83.

2.8. Diván del Tamarit

Reproducimos a continuación un espléndido texto de Pepa Merlo en el que nos invita a descubrir en los poemas de *Diván del Tamarit* un caso insólito de superación estética y de belleza turbadora:

Federico García Lorca aprendió a hacer decorados, «paisajes de cultura» por los que pudieran transitar sus artefactos, sus muñecos de guante, pero también sus personajes poéticos. [...] El *Diván del Tamarit* es la constatación final de cómo el poeta supo asimilar el artificio. Porque su último poemario es una quimera. Es un decorado con fondos pictóricos de colores y luces vivas, rebosante de jardines metafóricos en los que las rosas «quieren ser otra cosa».

¿Cómo construye el poeta este artificio? Con una fusión perfecta de todo lo aprendido, con los pies puestos en un presente de ruptura, de vanguardia, de elaboración de un nuevo orden estético y la mirada vuelta hacia la tradición. Es un ensamblaje entre «tradición» e «innovación». Una poesía armada con basamentos propios de la tradición clásica, el neopopularismo e incluso el folklore, pero que se nos muestra como algo transformador. En la mayor parte de su obra, el vaivén de lo clásico a lo más vanguardista, del surrealismo al romance, el juego de crear formas nuevas utilizando formas viejas, articulando unas y otras en una suerte de engranaje preciso, será la manifestación de la genialidad que ha hecho del poeta granadino un poeta universal.

Pero Federico García Lorca va más allá en ese juego de utilización de formas dispares, de fusión de distintas estructuras. En él siempre hay una vuelta de tuerca más. No se trata únicamente de que tome los elementos de la tradición poética española para, uniéndolos a las formas nuevas, alcanzar un resultado original, sino que ahorma cada pieza en un molde propio y el resultado sobrepasa la simple fusión de elementos dispares. El resultado es un nuevo fundamento poético.

Pepa MERLO, «Introducción», en Federico García Lorca, *Diván del Tamarit*, Madrid, Cátedra, 2018, págs. 13-14.

2.9. Sonetos del amor oscuro

Incluimos en este apartado las observaciones de Juan Matas Caballero sobre la trascendencia literaria de los *Sonetos del amor oscuro*. Nos parece de alto interés este trabajo, que indaga en un proyecto poético que se vio truncado por la muerte de su autor y que dejó en el aire sueños y pensamientos:

La ilusión que Lorca había puesto en este proyecto había sido subrayada por cualificados testigos que le oyeron recitar sus sonetos (Aleixandre, Cernuda y Neruda). El poeta granadino, aparte de algún tributo individual, nunca antes de esa fecha se había enfrentado a la creación de poemas en esta composición poética, por ello, tal vez animado por el ambiente literario del momento, parecía sentirse con ilusión y deseo de demostrarse a sí mismo —y a todos sus lectores— su capacidad para seguir ofreciendo su calidad y personalidad literaria al intentar dejar oír su música poética tañendo otra nueva cuerda lírica. El dominio magistral de lo que se ha venido considerando la forja y la ejemplaridad del poeta —el soneto— debió de suponer, sin duda, un novedoso y atractivo reto que el poeta granadino terminó demostrando sobradamente con estos únicos once sonetos que nos ha legado. [...]

La exitosa confabulación ideológica y filosófica que hilvana García Lorca con delicada sutileza de orfebre y alquimista al estrechar en certero abrazo la tradición literaria del amor, y en especial la del místico Juan de Yepes, con su personal concepción y experiencia amorosa, hacen de estos *Sonetos del amor oscuro* una pieza de extraordinario valor poético, cuya fortuna literaria siempre quedará signada por la incertidumbre de lo que podría haber sido el resultado final de uno de los retos poéticos más interesantes de Lorca, pues su propósito de enhebrar la tradición y la vanguardia se estaba consumando de forma ciertamente original, evidenciando su sólida formación literaria, su extraordinaria capacidad sincrética y su individual y estremecedora fuerza expresiva, que se traduciría, sin duda, en un único y sobresaliente hito, no sólo en la trayectoria poética de su autor, sino también en el amplísimo decurso de nuestra historia literaria.

Juan MATAS CABALLERO, «Federico García Lorca frente a la tradición literaria: voz y eco de san Juan de la Cruz en los *Sonetos del amor oscuro*», *Contextos* XVII-XVIII / 33-36, 1999-2000, págs. 381-383.

TALLER DE LECTURA

La poesía de García Lorca, que ocupa, con datos precisos, la segunda mitad de la vida del poeta (1917-1936), responde, como hemos podido comprobar, a un proceso incesante de evolución y pasa por diferentes periodos. Dicho en otros términos, la versatilidad estilística de Lorca está sujeta a un coherente proceso de depuración, a un progreso estético que va de la *imaginación* a lo que él mismo llamaba la *inspiración* y la *evasión*. Nunca conforme con la repetición de formas y de tonos, el nivel de exigencia y el claro compromiso artístico del poeta le llevaron a renovar los mimbres gastados de la tradición y a penetrar en los hasta entonces inéditos caminos de la modernidad, creando así un universo poético propio que justifica sobradamente su popularidad y su trascendencia.

Parece claro que el tema capital de la obra de Federico García Lorca es el radical *sentimiento de frustración*, el cual se extiende, desde el corazón del poeta, a toda la naturaleza humana. En él confluyen o de él parten los demás: la infancia, la muerte, el amor y la solidaridad.

La homosexualidad no asumida, el deseo reprimido, el sentimiento de culpa, el drama interior y, en general, todo aquello que atormentó al poeta trascendieron inevitable y profundamente a su obra. Ya en su juventud, como hemos visto, la floración de un erotismo irrealizable le condena a un estado permanente de sufrimiento y de angustia. Frente a ello, la infancia, a la que Lorca se refiere de modo constante en su obra —de modo especial en *Poeta en Nueva York*—, es la expresión y el símbolo de la inocencia, de ese paraíso perdido del que el poeta ha sido expulsado:

> Para buscar mi infancia, ¡Dios mío!,
> comí naranjas podridas, papeles viejos, palomares vacíos,
> y encontré mi cuerpecito comido por las ratas
> en el fondo del aljibe y con las cabelleras de los locos.[1]

Si aceptamos esto, daremos mayor valor al mérito literario del poeta andaluz, que fue capaz de transformar una obsesión en un producto poético de belleza insólita. Ahí está la fuerza abrumadora de ciertas imágenes, de los numerosos símbolos de la fatalidad que aparecen y reaparecen en su obra. La muerte rodea, acecha y envuelve al poeta. En cada espacio, en cada momento de la vida siempre hay algo que remite a la idea de la muerte. O acaso —he aquí lo terrible— es el poeta quien lleva la muerte dentro.

El amor en Lorca se presenta con una dimensión cósmica, universal y rotunda. Amor a todo y sin equívoco. Incluso cuando el sexo se superpone a lo espiritual del hecho amoroso, nos encontramos frente a un poeta que manifiesta y canta, del modo más elemental y primitivo, su fascinación.

Unida a los asuntos anteriores hay siempre una conciencia de solidaridad con los marginados y desposeídos, ya sea por motivos sociales, raciales o sexuales. El gitano en sus primeras obras o los negros y los judíos en el universo amargo de Nueva York son la prueba de esa conciencia

---

1. «Infancia y muerte». Véase en esta antología, pág. 343.

social, de un sentimiento que coincide con la evolución de los movimientos de vanguardia de principios del siglo XX y el consiguiente rechazo de la sociedad constituida y la acomodada vida burguesa. Lorca se identifica con una problemática externa que, en el fondo, coincide con la suya, la íntima y la verdadera: su frustración, su propia condición de marginado en un mundo de multitudes marginadas.

En general, podemos decir que todos los temas y todos los elementos de su poética están presentes en cualquiera de las obras y las etapas de Lorca, desde *Libro de poemas* hasta los *Sonetos del amor oscuro*, sólo que con distinta intensidad, con diverso tono y con diferente color.

En las páginas que siguen se proponen tres lecturas que representan distintos momentos de la creación lorquiana. Las dos primeras pertenecen al ciclo de la Andalucía mítica y a dos libros muy representativos de ese periodo: *Poema del cante jondo* y *Romancero gitano*. La tercera composición está en la órbita de *Poeta en Nueva York*. La tarea que proponemos en cada caso va acompañada de pautas interpretativas que facilitan la comprensión del texto: la consideración de aspectos como el tema, la técnica empleada por el autor, la estructura externa e interna, los recursos formales (métrica, rima, ritmo), así como la correlación entre las imágenes y las ideas.

1. CICLO DE LA IMAGINACIÓN:
ANDALUCÍA MÍTICA

En este apartado vamos a centrar la lectura en dos poemas de este primer periodo del autor, el que va de la publicación de *Libro de poemas* (1921) a la aparición de *Romancero gitano* en 1928. Se trata de «Baladilla de los tres ríos» y de «Romance sonámbulo».

1.1. El primero pertenece, como habrás podido observar, a su libro *Poema del cante jondo*. Conviene que tras la lectura atenta del texto desarrolles los siguientes aspectos:

—¿Cuántos libros de poemas escribió García Lorca entre 1921 y 1928? Sitúa la obra a la que pertenece «Baladilla de los tres ríos» en el contexto de ese periodo.

—Expón brevemente las características generales de *Poema del cante jondo*: tema o temas que recoge, significación dentro de la producción general del autor, principales recursos formales...

1.2. *Estructura interna*

1.2.1. Si comenzamos por el contenido del texto, veremos que el tema es fundamentalmente descriptivo. El poeta nos ofrece su visión del territorio físico y espiritual de Andalucía (el territorio del cante jondo) y elige para ello, por un lado, el río Guadalquivir, que representa a la majestuosa ciudad de Sevilla, y, por otro, los dos ríos de Granada, el Darro y el Genil, que encarnan en su humildad, sin la menor grandeza, una geografía íntima, recogida y melancólica. El propio Lorca justificaba en una conferencia leída en octubre de 1926 esta dualidad:

Granada no puede salir de su casa. No es como las otras ciudades, que están en la orilla del mar o de los grandes ríos, que viajan y vuelven enriquecidas con lo que han visto: Granada, solitaria y pura, se achica, ciñe su alma extraordinaria, y no tiene más salida que su alto puerto natural de estrellas.[2]

2. «Paraíso cerrado para muchos, jardines abiertos para pocos», en FGL, *Obras completas*, III, *op. cit.*, págs. 79-80.

Otra clave de lectura nos la facilita la carta que en noviembre de 1921 envía Lorca a su amigo Melchor Fernández Almagro. La fecha coincide con el periodo de redacción de *Poema del cante jondo*. En la misiva podemos leer:

> Granada va palideciendo por instantes y en las calles que dan al campo hay una desolación infinita y un rumor de puerto abandonado. El otoño convierte la vega en una bahía sumergida. [...] Los valles del Darro y el Genil en esta época otoñal son las únicas sendas de este mundo que nos llevarían al país de *Ninguna parte*, que debe estar entre aquellas nieblas de rumor.[3]

La canción parte, pues, de un enfrentamiento simbólico entre dos Andalucías: la occidental, de ánimo jovial, brillante, abierto; y la oriental, menos expresiva y grandilocuente, pero, al mismo tiempo, y a pesar de su tristeza, más profunda. El tema que se desprende asimismo de este duelo es el del agua, que aparece aquí como metáfora de vida y que, como tal y como imagen clásica, desemboca en el mar: «Lleva azahar, lleva olivas, / Andalucía, a tus mares».

1.2.2. Para ahondar en el tema y en sus símbolos hagamos un poco de memoria. *Poema del cante jondo* se publicó en Madrid en 1931; sin embargo, como ya sabes, tanto «Baladilla de los tres ríos» como el resto de poemas fueron escritos diez años antes. Entre 1921 y 1922, el poeta estaba felizmente ocupado, junto con el maestro Manuel de Falla, en los preparativos del Primer Concurso de Cante Jondo, que se celebró en Granada el 13 y 14 de junio de 1922. Su acercamiento a un arte tan profundo como desconocido le ayudó a distinguir, con honda diferencia, entre un

3. *Ibid.*, pág. 723.

cante primitivo, universal y único, y el flamenco, es decir, entre «el color espiritual y el color local», según sus propias palabras. Lo que aseguraba el poeta haber aprendido del cante jondo era, principalmente, la capacidad para prescindir de todo lo superfluo, de toda ampulosidad, y concentrar, en pocas palabras y con muchos símbolos, el sentido y el misterio de la vida. Y esa idea la va a aplicar, de manera absoluta, a través de canciones, a los paisajes y los lugares de su vida, a los espacios y recuerdos de su infancia, a la imagen popular y sensible de Andalucía. En este sentido, no es gratuito el hecho de que «Baladilla de los tres ríos» sea el poema que abre el libro. El autor estaba tan satisfecho de él que, en diciembre de 1922, se lo enviaba como primicia en una carta a su amigo Melchor Fernández Almagro; en 1923 lo daba a conocer al público a través de la revista madrileña *Horizonte: Arte, Literatura, Crítica*, y en 1930, durante un acto de homenaje a la bailarina Antonia Mercé, *La Argentina*, en Nueva York, aparecía impreso en un folleto de la Universidad de Columbia. No es de extrañar que el autor presumiera de composición ya que le había salido, en términos musicales y poéticos, redonda.

Como hemos señalado al principio, son los ríos los que expresan el contraste entre dos Andalucías, entre dos paisajes y entre dos formas de pensamiento. Hay, en consecuencia, una dualidad y una polarización claramente diferenciada: Guadalquivir (río de Sevilla) / Darro y Genil (ríos de Granada).

—Dejando al margen el estribillo del poema, del que más tarde hablaremos, distribuye los siguientes términos en los dos ejes temáticos (Sevilla / Granada) citados: *naranjos, olivos, nieve, trigo, barbas granates, llanto, sangre, barcos de vela, camino, suspiros, alta torre, viento, naranjales, torrecillas, estanques, fuego fatuo, mares.*

—Una vez repartidos los nombres y algún que otro adjetivo, ¿te atreves a hacer tu propia interpretación acerca del tratamiento que el poeta le da a uno y otro espacio geográfico?

—Busca el significado del adjetivo *fatuo* aplicado al término *fuego*. Trata de establecer la relación de ambas palabras con la figura y la obra de Manuel de Falla, maestro y amigo de García Lorca.

El poema, como habrás podido comprobar, responde a algo más que a una simple visión del paisaje. Hay detrás de cada imagen, de cada metáfora, de cada expresión, un sentimiento de estima por esa tierra y una emoción que se deja ver en las distintas estampas que el poeta va superponiendo. Así, en la primera estrofa, nos dice, con una admirable economía léxica, que el río Guadalquivir discurre «entre naranjos y olivos», es decir, entre dos árboles de gran significación: el naranjo y la flor del naranjo simbolizan la fecundidad, y el olivo es, por excelencia, un símbolo sagrado, unido a los dioses. Frente a ello, en severo contraste, los dos ríos de Granada «bajan de la nieve al trigo»: el Darro desciende de las cumbres blancas de Sierra Nevada, donde nace entre el Mulhacén y el Veleta, y el Genil abre su curso entre humildes campos de espigas, con esa espiritualidad de lo sencillo y de lo efímero.

En la siguiente estrofa, el gran río —Guadalquivir significa, etimológicamente, «río grande»—, como en las esculturas clásicas, se antropomorfiza en un dios fluvial y barbado («tiene las barbas granates») esparciendo su largo vello rojizo, con ese color de pincelada vanguardista tan sugerente y tan de Lorca. Mientras tanto, los dos ríos de Granada se definen entre la pena y el sacrificio: «uno llanto y otro sangre».

Lo mismo sucederá en las dos estrofas siguientes: el Guadalquivir es un ancho y próspero camino de agua por el que navegan los barcos; «por el agua de Granada», sin embargo, «sólo reman los suspiros», únicamente hay tristeza. En Sevilla hay majestuosas y altas torres y, por sus naranjales, el viento corre libre y alegre; en Granada sólo quedan «torrecillas / muertas sobre los estanques», sobre las aguas que no dan al mar.

> —A propósito de estos versos, fija tu atención en el mundo clásico, tan presente en las obras de Lorca, y busca en un diccionario de mitología o directamente en internet información sobre el dios Aqueloo.
> —Ahora recoge datos sobre la escultura conocida como *Bicha de Balazote*, que se encuentra en el Museo Arqueológico Nacional.
> —¿Qué relación encuentras entre Aqueloo, la *Bicha de Balazote* y el río Guadalquivir?

Las dos estrofas bimembres del final llevan esa contraposición entre las dos ciudades a un punto máximo de tensión. De los ríos de Granada emanan penas y lamentos: «¡Quién dirá que el agua lleva / un fuego fatuo de gritos!». El Guadalquivir, definitivo símbolo de toda Andalucía, ha de desembocar fértilmente en el mar: «Lleva azahar, lleva olivas, / Andalucía, a tus mares».

1.3. *Estructura externa*

Sólo por su aspecto se aprecia que «Baladilla de los tres ríos» es una canción de corte tradicional. En su título aparece la palabra *balada* —el diminutivo «baladilla» tiene un sentido afectivo que no aparecía en la versión primitiva del poema—, que se refiere a una composición poética dividida en estrofas de varias rimas que terminan en un mismo verso a manera de estribillo. Tiene un sentido coral y se asocia a ambientes de canto popular.

—Observa con detalle la estructura de la canción. ¿Cuántos versos tiene? Cuenta las estrofas y los estribillos. Compáralo con el poema «Muerte de la petenera», recogido en esta antología (pág. 147), y que también pertenece al libro *Poema del cante jondo*. ¿Qué tipo de estrofa y de rima emplea? ¿Qué semejanzas estructurales encuentras entre una y otra composición?

Habrás comprobado que las estrofas que has encontrado en el poema son de dos tipos: de cuatro versos octosílabos (coplas), de dos versos (dísticos) y, para el estribillo, también de dos versos, pero con distinto número de sílabas cada uno (homeométricos).

Veamos ahora cómo la fuerza expresiva de este poema depende, sobre todo, de su estructura estrófica, que es una sucesión alternante de coplas rimadas en asonancia alterna en los versos pares, y un estribillo intercalado que se repite con ciertas variantes y que va rimando con la copla (o mudanza) que le precede. En esa alternancia, las dos coplas finales las sustituyen dos dísticos.

Estamos ante un ejemplo de estructura tradicional con mudanza y estribillo, sólo que este último aparece alterado por el poeta, que juega con dos tipos: «que se fue por el aire», «que se fue y no vino». García Lorca se está sirviendo en esta canción de elementos procedentes de un largo recorrido literario cuyo punto de partida cabe situar en la versificación medieval. No obstante, y siguiendo con el ejemplo del estribillo, mientras la finalidad primitiva de éste consistía en un sencillo acompañamiento coral, en el poema de Lorca, la repetición de esos versos homeométricos tiene un alto contenido emocional, pues van arropados de expresivas interjecciones y de una entonación marcada por signos exclamativos. El estribillo no es, pues, decorativo, sino que sirve para interrumpir las evocaciones del paisaje sevillano y granadino con unos versos que expresan, con hondísimo lamento, el dolor de un amor perdido:

> ¡Ay amor
> que se fue y no vino!
> [...]
> ¡Ay amor
> que se fue por el aire!

Acerca del origen del estribillo, se ha hablado de la canción popular «Los peregrinitos», que localizó y recogió Menéndez Pidal precisamente en Granada en 1924. La composición tradicional decía:

> ¡Ay, ay, amor, ay, amor, ay, amor, ay, amante,
> ay, amor, que no puedo olvidarte!

El propio Lorca, en su *Tragedia de don Cristóbal*, combinó estos versos con otros también de origen popular:

> Por el aire van
> los suspiros de mi amante,
> por el aire van,
> van por el aire.

1.3.1. En el *plano fónico* no hay ejemplos significativos, al menos no resultan tan evidentes como el ritmo que marcan las reiteraciones y la propia estructura del poema. Hay otras canciones en *Poema del cante jondo* donde sí se pueden apreciar esos recursos sonoros.

— Localiza en esta antología algunas composiciones de *Poema del cante jondo* basándote en la expre-

sividad, en el rendimiento estético y en los procedimientos fónicos que emplea el autor: *aliteración*,
apóstrofe, *onomatopeya*, etc.

—Analiza el verso «un fuego fatuo de gritos». ¿Se
recurre en él a alguna de las figuras que acabamos
de señalar? Razona la respuesta.

1.3.2. En el *plano morfosintáctico* se aprecia el esfuerzo y el
talento del poeta para jugar con el número justo de términos. Salta a la vista la economía verbal. La idea de configurar la balada como una serie de cuadros de Andalucía yux-
tapuestos conduce a la creación de estrofas donde el verbo
se ha elidido: «Los dos ríos de Granada / uno llanto y otro
sangre»; «Guadalquivir, alta torre / y viento en los naranjales. / Dauro y Genil, torrecillas / muertas sobre los estanques». Pero en el texto encontrarás otros recursos poéticos.

—Sin tener en cuenta los estribillos, que son fórmulas repetidas, hemos encontrado *anáforas* en los
versos primero y séptimo ya que ambos comienzan
con el sintagma «El río Guadalquivir». El fenómeno contrario es la *epífora*, es decir, la repetición de
una o varias palabras al final de distintos versos o
frases. Señala los casos de esta figura literaria, también llamada *epístrofe*, que encuentres en el poema
y razona su función en el texto.

—Por todo lo comentado en el apartado de la estructura interna, los paralelismos parecen estar muy
presentes en esta composición. Localízalos y explica la función que cumplen en el texto.

—¿Crees que en esa dualidad que plantea el poema entre Sevilla y Granada, entre el Guadalquivir y
los dos ríos granadinos, hay algún tipo de figura retórica? Razónalo.

1.3.3. El aspecto más estudiado a lo largo del presente comentario es el *léxico-semántico*, pero no quedaría completo si no pusiéramos cierto orden en las distintas *figuras retóricas* de las que se vale el poeta para lograr sus propósitos, para llenar el texto de significado y para dotarlo de una dimensión simbólica.

—En general, «Baladilla de los tres ríos» es, como casi todas las composiciones de *Poema del cante jondo*, una copla sencilla que contiene un sentido metafórico y simbólico. Detrás de una sucesión de paisajes, hay una representación del Dolor y de la Pena, pero para lograr esa proyección de las emociones en la naturaleza hay que saber emplear las herramientas precisas: *símiles*, *metáforas*, *símbolos*, *alegorías*…

—Hemos hablado del olivo como *símbolo* sagrado, asociado preferentemente a la inmortalidad. ¿Podrías señalar y comentar algún otro símbolo o metáfora en el poema?

—Lorca emplea la *personificación* al convertir al río Guadalquivir en un dios de barbas granates, también cuando escribe que «por el agua de Granada / sólo reman los suspiros». Esta metáfora ontológica, también llamada *prosopopeya*, que consiste en atribuir propiedades humanas a animales, vegetales u objetos (concretos o abstractos), es muy habitual en *Poema del cante jondo*. Busca en otras canciones de este mismo libro más ejemplos de personificación, teniendo en cuenta que la naturaleza adquiere tal protagonismo en la obra de García Lorca que es muy común que aparezca antropomorfizada en toda su obra.

—De todos los recursos que hemos comentado hasta ahora, ¿cuáles serían para ti los más significativos desde el punto de vista del contenido y del estilo en este poema?

1.4. *Interpretación global*

Para realizar una interpretación general del poema y obtener ciertas conclusiones conviene hacer un balance de las características comentadas y de los rasgos más destacados. Ten presente el gran esfuerzo que supone condensar en un contado número de versos todo el contenido que hemos podido analizar, así como los significados más claros o menos explícitos que se hallan en el texto. Y para ello debemos situarnos de nuevo en el contexto en el que se creó el poema. Recuerda que fue alrededor de 1922, fecha en la que Lorca tendría veinticuatro años, cuando el autor acababa de descubrir, de la mano de Manuel de Falla, el fenómeno cultural y artístico del cante jondo. Ese interés y esa revelación le animan a explorar el poema corto, inspirado en la brevedad, la intensidad y la concentración temática de las coplas populares. Lorca llegó a preguntarse con extrañeza y fascinación cómo el anónimo poeta del pueblo había sido capaz de extractar, «de manera definitiva, en tres versos, los más difíciles estados en la vida de un hombre. Hay coplas en las que el temblor lírico llega a un punto donde no pueden llegar sino contadísimos poetas».[4]

Y de ese aprendizaje surge, como ejemplo claro, «Baladilla de los tres ríos», un poema de corte tradicional concebido con un lenguaje metafórico más propio de la vanguardia (la imagen «las barbas granates» no deja de ser una audacia ultraísta), que desarrolla variaciones sobre los distintos palos del cante jondo y presenta al poeta como un intermediario entre el lamento profundo de la tierra y el diálogo entre el amor y la muerte. «Ya vengan del corazón de la sierra —decía el poeta en su conferencia sobre el primitivo canto andaluz—, ya vengan del naranjal sevillano o

4. *Ibid.*, pág. 44.

de las armoniosas costas mediterráneas, las coplas tienen un fondo común: el Amor y la Muerte.»[5]

García Lorca deja fluir por los cauces del poema su andalucismo, pero lo hace con un lirismo vanguardista, situado entre la tradición romántica y las formas populares. La baladilla no es, por tanto, sólo un ingenioso mapa lírico que recrea imágenes de la geografía andaluza y que presenta, en un cuadro de contrarios, las dos Andalucías que amaba el autor. Es la encarnación de un universo espiritual extraordinario en el que se funden tierra, paisaje, poeta y emociones encontradas y hondamente humanas. A través de los tres protagonistas físicos de esta copla lorquiana (Guadalquivir, Darro y Genil), tres metáforas del agua y de la vida, el autor nos entrega una íntima visión del transcurso de su propia alma y, al mismo tiempo, nos ofrece una lectura universal del inexorable destino del hombre.

1.5. «Romance sonámbulo»

El siguiente poema de este ciclo que vamos a analizar es «Romance sonámbulo», una composición que pertenece, como bien sabes, al libro más popular, leído y estudiado de Federico García Lorca: *Romancero gitano*. La lectura que te proponemos a continuación parte del hecho, como la mayoría de textos de la obra, de ser un terreno muy trillado por lectores y críticos, por profesores de Literatura y por estudiantes de decenas de generaciones. No obstante, con poetas de la dimensión de Lorca, nunca se puede decir la última palabra y en toda lectura personal siempre hay una luz o un destello que nos lleva a descubrir un detalle nuevo de su genio creativo.

5. *Ibid.*, pág. 35.

Antes de empezar a trabajar el texto conviene que tengas presente que *Romancero gitano* es un libro atractivo y sumamente vistoso para quienes se conforman con una lectura superficial y folclórica de sus poemas, pero también y sobre todo —y esto debes tenerlo muy en cuenta por respeto a su autor— es una obra profunda y rica en matices para quienes van más allá de la apariencia y la piel de las palabras.

—Lee atentamente el texto y sitúalo, temáticamente, dentro del grupo de composiciones de *Romancero gitano*, al que pertenece. Recuerda que doce de los dieciocho poemas que lo constituyen son propiamente gitanos y que éstos, a su vez, se dividen en dos grupos: por un lado los de tono más lírico, con la creación de dos mitos (la luna y el viento) y con dominante presencia femenina; y, por otra parte, los de carácter más épico y con personajes masculinos. Dejamos a un lado la serie formada por tres romances religiosos sobre los arcángeles, símbolo de tres ciudades andaluzas, así como la de tres romances históricos.

—Recupera otros datos generales sobre *Romancero gitano*: fechas de su composición y también de su publicación, opiniones que recibió en la época, reacción del poeta ante éstas...

1.6. *Estructura interna*

1.6.1. Partimos de que «Romance sonámbulo» es uno de los poemas más característicos y logrados de *Romancero gitano* pero también uno de los más enigmáticos y de mayor complejidad interpretativa. Nada más entrar en él, tras una primera lectura, habrás encontrado dos de los elemen-

tos que definen esta obra: el ambiente andaluz de sello in-
confundiblemente lorquiano («luna gitana», «compadre»,
«cuchillo», «monte», «panderos», «largo viento», «aljibe», «noche») y, por otro lado, el clima de tragedia, dolor
y amargura («vengo sangrando», «la herida que tengo /
desde el pecho a la garganta», «Tu sangre rezuma y huele», «un rastro de sangre», «Mil panderos de cristal herían
la madrugada…»).

El título de la composición ya nos proporciona una pista sobre su contenido, puesto que el adjetivo *sonámbulo*
nos remite a lo onírico, al sueño y a sus sombras —a los
personajes sombríos que deambulan por lo oscuro—, pero
también a la órbita de cierto surrealismo que, de manera incipiente, comienza a asomarse a través de ciertas imágenes.

Como sucede en la mayoría de romances tradicionales,
el poeta aprovecha la sabia combinación de tres géneros
para configurar la pieza: el lirismo de las descripciones, la
energía dramática de los diálogos y el trasfondo narrativo
de una historia más insinuada que explícita. En este caso,
el poema parte de un suceso acaecido en la madrugada, en
esa hora bruja que nos sitúa en el límite entre la conciencia
de la realidad y la irrealidad del sueño, y, más ontológica-
mente, en la frontera entre la vida y la muerte. Lo incon-
testable es que el misterio está presente desde el primer
verso y ése es el camino que pretende crear y seguir el propio autor, tal y como confesaba en uno de sus comentarios
sobre la obra:

> Yo quise fundir el romance narrativo con el lírico sin
> que perdiera ninguna calidad y ese esfuerzo se ve conse-
> guido en algunos poemas del *Romancero*, como el llama-
> do «Romance sonámbulo», donde hay una gran *sensación de
> anécdota*, un agudo ambiente dramático, y nadie sabe lo que
> pasa, ni aun yo, porque el misterio poético es también mis-

terio para el poeta que lo comunica, pero que muchas veces lo ignora.[6]

—¿Cómo entiendes estas palabras de Lorca? ¿Crees que la poesía debe ser una manifestación del espíritu abierta a cualquier interpretación o consideras que todo texto poético ha de responder a una lógica y a una explicación concreta?

—Lee detenidamente estas dos frases: «La poesía no se ha creado para ser entendida»; «No hay que comprender un poema, hay que sentirlo». Escribe una breve reflexión sobre estas ideas.

Como todo romance tradicional, el poema cuenta una historia. En el caso de «Romance sonámbulo», el argumento nos conduce a un contrabandista que huye de la Guardia Civil tras ser herido de muerte. Busca refugio en casa de su amada, una muchacha gitana a la que encuentra muerta a su llegada. La tragedia se consuma con la detención y la presumible muerte del joven. La estructura responde a la de cualquier narración: hay una acción principal con planteamiento, nudo y desenlace.

—De romances con esa misma estructura narrativa hay numerosos ejemplos en *Romancero gitano*. Busca en esta antología el poema «Prendimiento de Antoñito el Camborio en el camino de Sevilla». Trata de explicar su argumento y divide su estructura en planteamiento, nudo y desenlace.

—¿Encuentras algún paralelismo o semejanza entre esta composición y «Romance sonámbulo»?

6. *Ibid.*, pág. 180.

La historia narrada se va completando conforme avanza la lectura del romance. Al principio, todo se reduce a impresiones, sugerencias y preguntas que asaltan al lector. ¿Quién es ella? ¿A quién espera? ¿Quiénes son los compadres que hablan? El misterio crece. Todo comienza con la voz de un narrador que se funde y se confunde con la del poeta. La voz se divide en dos y se transforma en diálogo entre los dos personajes que sostienen la acción: el «mocito» o bandolero y el «compadre», padre de la muchacha, que hace de interlocutor. La gitana, protagonista femenino del relato, es un personaje pasivo. Los guardias civiles que irrumpen al final del romance son antagonistas secundarios y también pasivos.

1.6.2. El contenido del poema se podría dividir en cuatro partes. En la primera (versos 1 al 24), el narrador presenta la escena y el marco de la historia. Los cuatro versos que abren y cierran el romance llevan implícito el tema de la composición: «El barco sobre la mar / y el caballo en la montaña», que nos da una versión poetizada y sintética del contrabando: es en el mar donde se recogen los alijos que los barcos descargan y es la montaña el destino adonde se lleva, a caballo y entre caminos furtivos, ese material. A continuación, con una admirable economía narrativa y con la ambigüedad significativa propia del género, se presenta al primer personaje del poema. «Ella», la muchacha, aparece «con la sombra en la cintura», apoyada en una baranda y contemplando la noche. En principio todo nos hace pensar que espera, como Penélope, la llegada de alguien, pero los detalles que la envuelven generan muchas dudas. Su cuerpo y su pelo tienen el color que tiñe de principio a fin el poema: el verde. Sus ojos están helados, poseídos por la luna —«ojos de fría plata»—, y mientras las cosas la miran a ella, «ella no puede mirarlas». No sabemos, pues, si la joven es una premonición de esa muerte que le espera o es ya un alma arrebatada por la luna, hipnotizada mortalmente por su influjo. Como señala Gustavo Correa, parece que la «gitana ha sufrido el embrujo de la luna y ahora se halla entregada a ella en atracción hipnótica de sonámbula».[7] No viene mal comparar aquí esa imagen casi onírica de la gitana mirando desde su alta baranda con la del propio poeta. Vicente Aleixandre, en su libro *Los encuentros*, describía así a García Lorca:

> Yo lo he visto en las noches más altas, de pronto, asomado a unas barandas misteriosas, cuando la luna correspondía con él y le plateaba su rostro; y he sentido que sus brazos se apoyaban en el aire, pero que sus pies se hundían en el tiempo, en los siglos, en la raíz remotísima de la tierra hispánica...[8]

Entendemos que en el color verde se apoya todo el entramado simbólico de este romance. Con el análisis semántico de los versos «Verde que te quiero verde. / Verde viento. Verdes ramas», repetidos sin variación, como un estribillo, en tres momentos del poema, podríamos concluir que el verde es en la obra de Lorca un término asociado directamente a la muerte. Todo lo que se tiñe de ese color, el cuerpo y el cabello de la gitana —«verde carne, pelo verde»— parece apuntar en esa dirección. Sin embargo, podríamos caer en la simpleza y en la inexactitud, ya que el simbolismo lorquiano es polivalente y no responde a clichés inalterables y unívocos.

—Localiza en esta antología el romance «Preciosa y el aire». Haz una lectura detallada del mismo y

7. Gustavo CORREA, *La poesía mítica de Federico García Lorca*, Madrid, Gredos, 1975, pág. 51.
8. Vicente ALEIXANDRE, *Los encuentros*, Madrid, Ed. Guadarrama, 1958.

comprueba con qué color se califica y define al protagonista de la historia que aquí se recoge. ¿Hay un valor simbólico en ese color? ¿Cuál sería para ti su significado más acertado en el contexto de este poema?

Las fuerzas oscuras que se apoderan del color verde en «Romance sonámbulo» no aparecen, sin embargo, en el poema «La verdecilla»[9] de Juan Ramón Jiménez, que debió de servir de referencia a nuestro autor, pero en un sentido principalmente estético:

> Verde es la niña. Tiene
> verdes ojos, pelo verde.
> Su rosilla silvestre
> no es rosa ni blanca. Es verde.
> ¡En el aire verde viene!
> (La tierra se pone verde.)
> Su espumilla fulgente
> no es blanca ni azul. Es verde.
> ¡En el mar verde viene!
> (El cielo se pone verde.)
> Mi vida le abre siempre
> una puertecita verde.

Lo que cabe admitir es que en «Romance sonámbulo» el color verde de esta composición juanramoniana se carga de tintes trágicos. Son verdes las ramas (hojas) de los árboles. Es verde el viento que atraviesa esos espesos ramajes y se contagia de su aroma y de sus tonos. Es verde el color de la piel de los gitanos, tal y como el propio Lorca describe en otras composiciones: «moreno de verde luna», «cutis amasado / con aceituna y jazmín», etc. El tono «ver-

9. El poema apareció en el libro *Historias (1909-1912)*, aunque en 1921 Juan Ramón le añadió ligeras variantes.

de aceitunado» de los gitanos es un detalle también observado por escritores y viajeros, como George Henry Borrow, que lo anota en su libro *The Zincali. An Account of the Gypsies of Spain* (Londres, 1841). Y son verdes, especialmente, las aguas detenidas, el verdín y el liquen de los estanques, así como el cuerpo inerte y verduzco de los ahogados. La imagen «sobre el rostro del aljibe / se mecía la gitana» del último fragmento del romance nos presenta la desolada muerte de la muchacha, de nuevo con el cuerpo y el pelo transfigurados en el trágico color.

En este punto queremos recordarte que en la obra de García Lorca los estanques, los aljibes, los pozos, las cisternas y, en general, todo lo que signifique agua detenida e inmóvil («que no desemboca») tiene una directa connotación de muerte. Lo puedes comprobar de manera explícita en el poema «Niña ahogada en el pozo», del libro *Poeta en Nueva York* (página 268 de esta antología):

> Pero el pozo te alarga manecitas de musgo,
> insospechada ondina de tu propia ignorancia,
> … que no desemboca.
>
> No, que no desemboca. Agua fija en un punto,
> respirando con todos sus violines sin cuerdas
> en la escala de las heridas y los edificios deshabitados.
> ¡Agua que no desemboca!

La imagen de la gitana ahogada de «Romance sonámbulo» flotando en el agua no era nueva para Lorca en la fecha de escritura del libro. La muerte por ahogamiento la había recreado en «Narciso», composición de 1924, y en el poema 4 de la serie «Nocturnos de la ventana», ambos del libro *Canciones*. En el segundo leemos:

Al estanque se le ha muerto
hoy una niña de agua.
Está fuera del estanque,
sobre el suelo amortajada.

De la cabeza a sus muslos
un pez la cruza, llamándola.
El viento le dice «niña»,
mas no puede despertarla.

El estanque tiene suelta
su cabellera de algas
y el aire sus grises tetas
estremecidas de ranas.

Dios te salve, rezaremos
a Nuestra Señora de Agua
por la niña del estanque
muerta bajo las manzanas.

Yo luego pondré a su lado
dos pequeñas calabazas
para que se tenga a flote,
¡ay!, sobre la mar salada.

Residencia de Estudiantes, 1923

Pero mucho antes, según se ha podido hallar entre sus poemas inéditos de juventud, el poeta abordaba el tema del ahogado en una composición —«La muerte de Ofelia»— dedicada a la locura de amor y al suicidio de la Ofelia de Shakespeare:

Y Ofelia dulce cae
en el abismo blando.
Todo sacra tristeza
y palpitar de tarde.

Sobre el leve temblor
de las aguas, su pelo…
[…]
No queda en el remanso sino la cabellera
que flota. ¡Un gran topacio!
Deshecho por el ritmo
de eterna Primavera
que agita el dulce espacio
de las aguas serenas.[10]

La primera parte de «Romance sonámbulo», además del personaje femenino, tiene otro protagonista de alto significado en la poesía lorquiana: la naturaleza; en este caso, una naturaleza en rebelión. El tiempo atmosférico, la luna, la higuera y el monte se alían con la tragedia que se avecina. Todo se muestra desapacible y acechante: «La higuera frota su viento / con la lija de sus ramas, / y el monte, gato garduño, / eriza sus pitas agrias». Y en medio de esa tensión se interponen dos preguntas que acrecientan el misterio: «¿Pero quién vendrá? ¿Y por dónde…?».

La segunda parte (versos 25 a 52) responde a estos dos interrogantes con amplitud. El narrador desaparece y el fragmento se centra en la conversación que mantiene el joven contrabandista herido con el «compadre». El diálogo aporta al poema un dinamismo realmente emotivo y un efecto dramatizador. Mediante el sencillo intercambio de palabras entre ellos se van fijando los personajes y las angustiosas circunstancias que los rodean. Por lo que dicen sabemos que el mozo-bandolero, intuyendo su final, quiere morir en paz: «quiero cambiar / mi caballo por su casa, / mi montura por su espejo, / mi cuchillo por su manta. / […] quiero morir / decentemente en mi cama». Además de ese

---

10. FGL, *Obras completas, IV. Primeros escritos*, Barcelona, Galaxia Gutenberg, 1996, pág. 464.

contraste entre una existencia aventurera y peligrosa, y otra apacible y sedentaria, el personaje aporta mucha más información: está mortalmente herido y viene huyendo: «vengo sangrando / desde los puertos de Cabra. / […] ¿No veis la herida que tengo / desde el pecho a la garganta?».

—Aunque la anécdota es un mero punto de partida en los poemas de *Romancero gitano*, la información que nos aporta el texto es suficientemente válida como para reconstruir el supuesto pasado del bandolero herido. Recoge algunos datos sobre los puertos de Cabra, un territorio de la provincia de Córdoba que limita con la de Granada, y sobre Sierra Morena. Redacta unas líneas donde justifiques la relación de ambos lugares con el bandolerismo y el contrabando.

—Ahora haz lo mismo con estos tres personajes legendarios: Diego Corrientes, José Tirado *Pacheco* y José María *el Tempranillo*.

—Localiza y lee con detalle el poema «Canción de jinete. *1860*» en esta antología. Comenta su relación con «Romance sonámbulo».

Si te fijas bien, ambos poemas, más allá de una dramática persecución o de una huida de la muerte, incluso más que una lucha por la vida de un bandolero acechado por la Guardia Civil, presentan el enfrentamiento entre el primitivismo y la civilización, el salvaje y la norma, las fuerzas naturales y el sistema que oprime, coarta y ahoga.

En la tercera parte (versos 53 al 66) reaparece la voz del narrador para relatar la llegada de los dos personajes a la casa: «Ya suben los dos compadres / hacia las altas barandas. / Dejando un rastro de sangre. / Dejando un rastro de lágrimas». La naturaleza sigue al acecho, construyendo una atmósfera visual y acústica en la que el viento sopla con insistencia y las vagas luces del poblado gitano «temblaban» en los tejados y «herían» la madrugada.

En la última parte (versos 67 al 86) se reanuda el diálogo dramático entre el mozo herido y el viejo desolado, y la joven gitana vuelve a ser el eje del romance: «¿Dónde está tu niña amarga?». A partir del verso 73, la voz del narrador se adueña del desenlace de la historia. Con tres imágenes pone fin al relato pero deja vivo el misterio. En el primer cuadro nos ofrece la visión de la muchacha muerta: «Sobre el rostro del aljibe / se mecía la gitana». En el segundo, un rayo de luna ilumina a la ahogada, que flota sin vida en el aljibe: «Un carámbano de luna / la sostiene sobre el agua». La última escena retrata a los guardias civiles, que traen cosida la tragedia: «Guardias civiles borrachos / en la puerta golpeaban». Los cuatro versos finales repiten, sin variantes, los cuatro primeros del poema, creando así una sensación de perfección y simetría, de círculo perfecto que cierra el espacio y el tiempo del romance.

1.7. *Estructura externa*

—Vuelve a mirar con detalle el poema y cuenta sus versos. Haz lo mismo con otras composiciones del libro como «Romance de la luna, luna», «Muerto de amor» y «Romance de la Guardia Civil española». Habrás comprobado que el romance, como estructura poética, tiene un número ilimitado de versos. ¿A qué crees que se debe este fenómeno que no sucede en casi ninguna otra forma poética?

—¿Qué tienen en común estas palabras: *ramas, montaña, baranda, plata, gitana, escarcha, alba, agrias, amarga...*?

Te habrás dado cuenta de que «Romance sonámbulo» cumple a la perfección las características formales del romance. En este caso, como has podido ver y medir, se trata de un poema octosilábico con rima asonante en los versos pares.

1.7.1. «Romance sonámbulo» es también un prodigio de recursos retóricos. En el *nivel fónico*, que camina paralelo a los efectos rítmicos y musicales del texto, apreciamos una aliteración insistente y reiterada de bilabiales sonoras en los versos identificativos del poema: «Verde que te quiero verde. / Verde viento. Verdes ramas. / El barco sobre la mar / y el caballo en la montaña». Aunque se aprecia con más claridad el efecto sonoro en las consonantes velares de «gato garduño» y en las nasales de «mar amarga».

En el *plano morfosintáctico*, el texto sorprende con figuras que afectan a toda la composición. Los paralelismos son su columna vertebral y generan una estructura simétrica. Pero el dinamismo y la articulación del romance dependen principalmente de sus abundantes reiteraciones: *anáforas*, *epíforas*, *reduplicación*, etc.

—En los versos «Dejando un rastro de sangre. / Dejando un rastro de lágrimas» hay un claro ejemplo de anáfora, pero en el poema hay muchos más. Localízalos.

—Cuando Lorca escribe «mi caballo por su casa, / mi montura por su espejo…», está recurriendo a estructuras paralelísticas. ¿Cuántos recursos como éste encuentras en el poema?

—La *reduplicación* es característica de muchos comienzos de romances. Busca su definición y comenta la importancia que tiene esta figura en el poema «Romance sonámbulo».

—La *elipsis* y el *zeugma* son dos buenas herramientas para economizar. Las vemos desde el principio: «El barco sobre la mar / y el caballo en la montaña». Señala el resto de versos donde encuentres esa ausencia de verbos, artículos, sustantivos…

—Para muchos docentes, los versos de «Romance sonámbulo» han servido como ejemplo de otra figura retórica: la *epanadiplosis*. Defínela y búscala en el texto.

—Como ejemplo de recurso sintáctico bastante común en poesía, el *hipérbaton* está muy presente en el texto: «Sobre el rostro del aljibe / se mecía la gitana». Recuerda que se trata de una figura retórica que consiste en alterar el orden lógico de las palabras en la oración. Subraya y comenta todos los otros ejemplos que aparezcan en la composición.

—El lenguaje de «Romance sonámbulo» es intensamente valorativo, de ahí la abundancia de adjetivos con intención explicativa o con propósito expresivo. La colocación de ese tipo de adjetivo delante o detrás del sustantivo tiene su importancia: «verde viento» / «luna gitana». Confecciona una lista con ejemplos de ambos casos.

—También te habrás dado cuenta de que hay adjetivos que tienen un valor denotativo —«verdes ramas»— y otros que son altamente connotativos —«rosas morenas»—. Localiza aquellos que tengan un gran sentido significativo y coméntalo.

1.7.2. Concluimos la estructura externa con el comentario del *plano léxico-semántico*, en el que se concentran las principales figuras retóricas que puedas haber estudiado. Hay *antítesis*, *interrogaciones* y *exclamaciones retóricas*, *hipérboles*, *símiles*, *metonimias*, *símbolos*, *sinestesias* y, sobre todo, *metáforas* de mucho relieve.

—Basándote en tu lectura detallada del texto y en todo lo que hemos comentado en este apartado sobre «Romance sonámbulo», clasifica, define e interpreta las siguientes imágenes:

1) Trescientas rosas morenas
   lleva tu pechera blanca.
   Tu sangre rezuma y huele
   alrededor de tu faja.

2) Con la sombra en la cintura
   ella sueña en su baranda,
   verde carne, pelo verde,
   con ojos de fría plata.

3) La higuera frota su viento
   con la lija de sus ramas.

4) y el monte, gato garduño,
   eriza sus pitas agrias.

5) Temblaban en los tejados
   farolillos de hojalata.

6) Mil panderos de cristal
   herían la madrugada.

7) ¿Pero quién vendrá? ¿Y por dónde…?

8) las cosas la están mirando
   y ella no puede mirarlas.

9) La noche se puso íntima
   como una pequeña plaza.

1.8. *Interpretación global*

Comentaba el poeta Rafael Alberti, años después de la muerte de García Lorca, que «Romance sonámbulo» era «el mejor romance» del autor:

> Su «verde viento» nos tocó a todos, dejándonos su hueco en los oídos. Aun ahora, después de trece años, sigue sonando entre las más recientes ramas de nuestra poesía. Juan Ramón Jiménez, de quien tanto aprendiste y aprendimos, creó en sus *Arias tristes* el romance lírico inapreciable, musical, inefable. Tú, con tu «Romance sonámbulo», inventaste el dramático, lleno de escalofriado secreto, de sangre misteriosa.[11]

A lo largo de la lectura y el comentario de este poema hemos podido comprobar la capacidad de García Lorca para unir, en un texto y en toda una obra, lo culto y lo popular, lo dramático, lo lírico y lo épico-narrativo, lo tradicional y lo vanguardista con un lenguaje propio e inconfundible y una simbología netamente lorquiana. Partiendo de una estructura muy arraigada a la tradición hispana, el romance, Lorca eleva el poema a la máxima expresión imaginativa y emocional, pone en escena toda una mitología personal de raíces clásicas, religiosas y populares, y la arropa con una vestimenta simbólica que nos revela lo transcendente y real: un universo gobernado, entre el amor y la muerte, por las pasiones humanas.

En «Romance sonámbulo» hay un narrador que pone voz a la tragedia. Es un juglar que, mediante recursos valorativos, deja traslucir su simpatía y su hostilidad por unos personajes que encarnan, respectivamente, las fuerzas na-

---

11. «Palabras a Federico», texto recogido por Guillermo Díaz-Plaja en *Federico García Lorca*, Madrid, Espasa-Calpe, 1973, pág. 128.

turales en su lucha por la vida y el poder represor de una sociedad que elimina todo signo de libertad.

Y Lorca consigue trasmitir ese caudal de emociones creando una atmósfera de sueño, una vaguedad surreal en la que todo flota angustiosamente. Y esa sensación se alcanza a través de símbolos que evocan un mundo de fuerzas oscuras y de pasiones irracionales, un universo construido con la transposición de los elementos —viento, rama, luna, caballo, monte, mar, sangre, cuchillo, agua, viento, aljibe, noche— y con la omnipresencia, real o presentida, de la muerte.

2. CICLO DE LA EVASIÓN: NUEVA YORK

2.1. El poema que hemos seleccionado para este ciclo es el titulado «La aurora» (1929) y pertenece al libro *Poeta en Nueva York*. Recuerda que esta obra divide la producción poética de Lorca en un antes y un después. Asombra a primera vista por el aparente cambio radical del mundo lírico anterior. El autor de *Poema del cante jondo* y de *Romancero gitano* nada tiene que ver, en principio, con el que se enfrenta ahora a la gran urbe y responde con un grito furioso. En el texto de su conferencia «Un poeta en Nueva York» se puede leer:

> Los dos elementos que el viajero capta en la gran ciudad son: arquitectura extrahumana y ritmo furioso. Geometría y angustia. En una primera ojeada, el ritmo puede parecer alegría, pero cuando se observa el mecanismo de la vida social y la esclavitud dolorosa de hombre y máquina juntos, se comprende aquella típica imagen vacía que hace perdonable, por evasión, hasta el crimen y el bandidaje.[12]

12. FGL, *Obras completas,* III, *op. cit.*, pág. 164.

—Lee con atención el poema que aparece en la página 267 de esta antología.

—Realiza un breve resumen de las características principales de *Poeta en Nueva York*.

—Como recordaremos a continuación, el libro se escribió entre 1929 y 1930, pero ¿cuándo se publicó y dónde?

2.2. *Estructura interna*

2.2.1. El poema «La aurora» recoge, en escenarios distintos a los que Lorca nos había acostumbrado, el sentimiento de frustración y la sensación de tragedia que define toda su obra. Los espacios son otros pero, en el fondo, quien aguarda agazapado en la sombra, atento, es el mismo poeta angustiado que, en este caso, ha pasado del *yo* al *nosotros*, ha incorporado a su obra un acento social.

La llegada a Nueva York fue para él un revulsivo y una razón de ira y de protesta a la que sólo cabía responder con un lenguaje nuevo, de fuerte capacidad simbólica. El mismo poeta ya venía anunciando su distanciamiento de una poética meramente imaginativa, atada a la lógica humana. Y así, en su conferencia «Imaginación, inspiración, evasión», pronunciada en octubre de 1928 en Granada, ya había apuntado que «El hecho poético no se puede controlar con nada. Hay que aceptarlo como se acepta la lluvia de estrellas. Pero alegrémonos de que la poesía pueda fugarse, evadirse, de las garras frías del razonamiento».[13]

Lo que vamos a encontrar ahora en este poema desconcierta, de entrada, al lector que sólo ha conocido al Lorca de *Romancero gitano*. Si queremos someter sus imágenes y su sentido a una lógica estricta, estamos perdidos. Ante

13. *Ibid.*, pág. 104.

composiciones como ésta hay que abandonar pretensiones y cuadrículas. No beneficia en nada obstinarse en traducir metáforas que están más próximas a la alucinación que a realidades concretas, más cerca de la estupefacción y el efecto que provocan que de un correlato lógico. El poeta recurre ahora a procedimientos irracionalistas y alógicos que radicalizan su lenguaje, pero su aventura es de tal calado y de tal profundidad, como así veremos, que el resultado sitúa poemas como «La aurora» en la cima de la modernidad y a su autor entre los grandes genios de la poesía contemporánea.

2.2.2. El *tema* del texto nos llega entre fuertes sensaciones negativas. Todo en él huele a podredumbre y degradación. El poeta trata de contarnos cómo es el amanecer en una urbe descomunal y deshumanizada que sólo genera angustia y destrucción. En ella no hay futuro «ni esperanza posible».

2.2.3. La composición se estructura en tres partes más o menos diferenciadas por su contenido. Las dos primeras estrofas (versos 1 al 8) giran en torno a ese frustrado amanecer en Nueva York. La aurora es la protagonista de esta primera parte, en la que se presenta encarcelada entre negras columnas, gimiendo y buscando inútilmente un minúsculo signo de pureza. La segunda parte (versos 9 al 16) centra su atención en los habitantes de la urbe, seres tan alienados que ni siquiera tienen nombre en el poema, sólo pronombres o «antinombres»: «nadie», «los primeros que salen…». Los cuatro últimos versos (17 a 20) son la conclusión y la síntesis, y también la tesis del texto: aurora y gentes sepultados bajo un mundo degradante y oscuro.

La primera estrofa nos enfrenta ya a imágenes con poderoso valor simbólico: «La aurora de Nueva York tiene /

416

cuatro columnas de cieno». Bien se podrían asociar tales columnas a los macizos rascacielos que se levantan sobre la ciudad, como cuatro puntos cardinales, y ensombrecen la vida. Pero también se pueden ver como chimeneas industriales que vomitan humo negro. Lo que resulta menos discutible es el «cieno» y sus connotaciones negativas. Es un fango negro que se forma en las aguas estancadas y que evoca podredumbre. Los dos versos siguientes llevan la imagen al límite de la inmundicia y de la degradación: «y un huracán de negras palomas / que chapotean en las aguas podridas». El poeta magnifica el proceso corrosivo con un término de destrucción, *huracán*, en vez de *bandada*, y presenta a la paloma, signo eucarístico (no olvidemos la filiación bíblica del libro) y símbolo de pureza y de paz, humillada por el lodo y la putrefacción.

Hemos visto y sentido cómo el amanecer es un fenómeno de la naturaleza que se incumple en el cielo de la enorme urbe norteamericana. El autor recuerda en el poema «Nueva York. Oficina y denuncia» que la aurora no existe en la gran ciudad: es «un alba mentida». Por eso trata de encontrar, entre el cemento y las alturas (geometría, violencia y angustia), un signo de vida, de naturaleza y de belleza.

—La segunda estrofa (versos 5 al 8) insiste en la imagen que acabamos de comentar. La aurora adquiere entidad de personaje lorquiano y sale en busca de una diminuta felicidad que le devuelva la esperanza:

> La aurora de Nueva York gime
> por las inmensas escaleras
> buscando entre las aristas
> nardos de angustia dibujada.

—Lee a continuación la primera estrofa del «Romance de la pena negra». ¿Qué relación encuentras entre la aurora de Nueva York y Soledad Montoya? Analiza y comenta los verbos que aparecen en ambos ejemplos.

> Las piquetas de los gallos
> cavan buscando la aurora,
> cuando por el monte oscuro
> baja Soledad Montoya.
> Cobre amarillo su carne,
> huele a caballo y a sombra.
> Yunques ahumados sus pechos,
> gimen canciones redondas.

En la segunda parte del poema encontramos una humanidad distópica, propia de un relato de Orwell. Es una muchedumbre herida y desesperanzada, víctima de un sistema despiadado e implacable que no conoce la caridad ni el amor. Cuando el poeta escribe «La aurora llega y nadie la recibe en su boca», crea una imagen de efecto poderoso que quizá no responda a una lógica premeditada, pero que contiene una sugerencia remota de comunión, de actitud dispuesta a recibir con la lengua y el alma la forma sagrada, en este caso la luz del amanecer, blanca y redonda en su forma solar. Y nadie la recibe «porque allí no hay mañana ni esperanza posible», sentencia el verso 10. La siguiente imagen pone el dedo en la herida de la sociedad capitalista: «A veces las monedas en enjambres furiosos / taladran y devoran abandonados niños». Y lo hace con tintes terribles, con verbos de una enorme violencia —«taladran y devoran»— y oponiendo el dinero, el metal y la usura a sus víctimas más inocentes dentro de la escala humana: los niños sin nadie.

La desesperanza de los habitantes de la ciudad queda retratada en la cuarta estrofa (versos 13 al 16). «Los primeros que salen comprenden con sus huesos / que no habrá paraíso ni amores deshojados». Comprueban con algo más duro, oculto y profundo que la piel, en el fondo de cada uno de ellos y de ellas, que no hay motivo para la esperanza, ni siquiera un amor verdadero, puro, limpio de hojarascas e imposturas. Lo único que existe es —de nuevo— el cieno de las cifras, del capital, de las máquinas y de los negocios, que sigue manchando y pudriendo la vida: «Saben que van al cieno de números y leyes, / a los juegos sin arte, a sudores sin fruto». Aquí se recuerda que la deshumanización y el afán financiero sólo generan labores especulativas, interesados actos sin gracia y sin vuelo, gestos sin alma y esfuerzos sin provecho para el hombre.

—Los siguientes fragmentos pertenecen de nuevo al poema «Nueva York. Oficina y denuncia»:

> Debajo de las multiplicaciones
> hay una gota de sangre de pato;
> debajo de las divisiones
> hay una gota de sangre de marinero;
> debajo de las sumas, un río de sangre tierna.
> [...]
> Todos los días se matan en New York
> cuatro millones de patos,
> cinco millones de cerdos,
> dos mil palomas para el gusto de los agonizantes,
> un millón de vacas,
> un millón de corderos
> y dos millones de gallos,
> que dejan los cielos hechos añicos.

—La palabra *sangre* y la imagen de la muerte —«se matan en New York...»— van unidas al mundo de la fría aritmética. No hay lugar para la naturaleza ni para la vida. Selecciona todos los términos matemáticos que aparecen en estos dos fragmentos y crea con ellos un poema, un texto en prosa o un artículo breve en el que reorientes el sentido de estas palabras hacia algo esperanzador y positivo.

La estrofa final condensa todas las ideas expresadas en la composición y subraya el sentido represor y destructivo de una civilización que no sólo anula y esclaviza, sino que avanza en dirección contraria a la propia humanidad. La aurora acaba finalmente sometida por mordazas de hierro y por el taladrante estrépito urbano: «La luz es sepultada por cadenas y ruidos / en impúdico reto de ciencias sin raíces». «Aquel inmenso mundo no tiene raíz»,[14] escribía el poeta tras su llegada a la ciudad, tratando de explicar que el progreso y la ciencia carecían allí de propósito humanístico. Los últimos dos versos despiden el poema con la imagen espectral de gentes que caminan sin rumbo, extraviadas, sonámbulas, como almas que no han salido ni saldrán del paraíso de la angustia:

> Por los barrios hay gentes que vacilan insomnes
> como recién salidas de un naufragio de sangre.

2.3. *Estructura externa*

2.3.1 Las composiciones de *Poeta en Nueva York* se caracterizan por una rotunda libertad formal, por un dislocado versolibrismo, por sus reiteraciones salmódicas, por el uso sistemático del versículo y por un caudal de imágenes no controladas, muy próximas al surrealismo.

«La aurora» consta de veinte versos divididos en cinco estrofas de cuatro. Las dos primeras tienen una métrica

14. *Ibid.*, pág. 165.

irregular (entre 8 y 11 sílabas). A partir del verso 9, las estrofas restantes se componen, uniformemente, de versos alejandrinos.

Las primeras figuras de interés aparecen en el plano morfosintáctico. Observa la *anáfora* que encontramos al principio de los versos 1, 5 y 9 con la repetición de «La aurora…».

— Localiza ahora los *paralelismos* que se aprecian en el poema.

— Como ya sabes, la llegada de García Lorca a Nueva York supuso un choque entre el poeta, criado y formado en plena naturaleza, y un mundo frío y hostil. Esa sensación de angustia y de desolación, de tristeza y de desesperanza, aparece en todo el poema. Localiza y selecciona los términos —adjetivos, verbos, nombres— que tengan en el texto un sentido negativo y que contribuyan a crear esa visión de dolor y de injusticia.

— Comprobarás que en el texto hay un predominio abrumador de sustantivos y que éstos, en buen número, están relacionados con la naturaleza: «aurora», «huracán», «palomas», «aguas», «nardos», «enjambre», «fruto»… El desequilibrio y la tragedia aparecen cuando esas palabras surgen en un entorno de podredumbre y corrupción. ¿Sucede lo mismo con los términos abstractos del poema? Localízalos y comenta su uso.

— Observa este verso: «a los juegos sin arte, a sudores sin fruto». ¿Qué figura retórica encuentras en él?

— Busca el significado de las palabras *impúdico* e *insomnes*. Trata de entender cada una de ellas en su contexto y explica el sentido de «impúdico reto de ciencia sin raíces» y «gentes que vacilan insomnes».

—¿Crees que hay una *sinestesia* en el verso «La luz es sepultada por cadenas y ruidos»? En caso afirmativo, localízala y comenta su sentido.

—En el texto predomina la connotación. Como hemos visto, hay varios tipos de *metáforas*, además de *símbolos*: «columnas de cieno», «negras palomas», «nardos de angustia dibujada», «enjambres furiosos…». Busca en el texto un caso de *símil* donde aparezca la partícula o nexo comparativo *como* y comenta, con tu reflexión y con tus palabras, el significado de la imagen.

—¿Crees que «las inmensas escaleras» por las que gime la aurora es una *metonimia*? Razónalo.

2.4. *Valoración final*

La lectura de «La aurora» nos ha servido para ejemplificar, a partir de la experiencia de un poema concreto, el ancho significado de *Poeta en Nueva York*, una obra que vino a sumarse al ya asentado simbolismo de su autor pero con añadidos de interés. Lorca pudo contar, a partir de aquel viaje, con una base mítica renovada para sus viejas angustias: frustración, pérdida de la infancia, fatalismo, muerte… Las veladas y simbólicas alusiones a su identidad sexual y amorosa se hacen ahora explícitas —no dejes de leer el poema «Oda a Walt Whitman» recogido en esta antología—. A los temas del universo lorquiano se unen a partir de este libro los males propios de una civilización que devora a sus criaturas y que sólo genera injusticia, alienación, segregación racial y desesperanza. Un tono de imprecación y de condena, de denuncia constante y de insurgencia se adueña también del discurso del poeta, que se afirma y define en un mundo sin vencidos, sin desheredados, sin muchedumbres humilladas; un mundo inclusivo que acoja, sin condiciones sexuales, sociales o raciales, a una humanidad que deambula perdida.

En el poema «La aurora» hemos podido encontrar viejos y conocidos temas del poeta, como su conciencia de la frustración, su nostalgia del paraíso perdido y la búsqueda de su identidad, sólo que, ahora, la angustia propia se transfigura en el sufrimiento de los otros. La conciencia y el acento social llevan a Lorca a reaccionar frente a la mentalidad mercantilista y al racionalismo materialista e instrumental, a contemplar, con ojos nuevos, la imposible aurora de la metrópoli que da nombre a la civilización moderna. A través de alucinantes descripciones del cielo y el paisaje de Nueva York, el poeta grita y denuncia la deshumanización, los estragos de un mundo podrido, en descomposición, los abusos de un poder sin escrúpulos que destruye, degrada y genera multitudes solitarias «que vacilan insomnes / como recién salidas de un naufragio de sangre».

ÍNDICE DE TÍTULOS
Y PRIMEROS VERSOS